D0370130

Hier

Le lecteur trouvera à la fin du présent ouvrage,
la liste complète des œuvres publiées par l'auteure.

Nicole Brossard

Hier

Roman

ÉDITIONS QUÉBEC AMÉRIQUE

329, RUE DE LA COMMUNE OUEST, 3e ÉTAGE, MONTRÉAL (QUÉBEC) H2Y 2E1 (514) 499-3000

Données de catalogage avant publication (Canada)

Brossard, Nicole
   Hier
   (Mains libres # 6)
   ISBN 2-7644-0117-5
   I. Titre. II. Collection.

PS8503.R7H53 2001   C843'.54   C2001-941128-6
PS9503.R7H53 2001
PQ3919.2.B76H53 2001

Les Éditions Québec Amérique bénéficient du programme de subvention globale du Conseil des Arts du Canada. Elles tiennent également à remercier la SODEC pour son appui financier.

Le Conseil des Arts | The Canada Council
du Canada | for the Arts

Nous reconnaissons l'aide financière du gouvernement du Canada par l'entremise du Programme d'aide au développement de l'industrie de l'édition (PADIÉ) pour nos activités d'édition.

Il est illégal de reproduire une partie quelconque de ce livre sans l'autorisation écrite de l'éditeur.

Nicole Brossard remercie le Conseil des Arts du Canada pour son appui financier.

Traduction en latin : Pierre Boglioni

©2001 ÉDITIONS QUÉBEC AMÉRIQUE INC.
www.quebec-amerique.com

Dépôt légal : 3ᵉ trimestre 2001
Bibliothèque nationale du Québec
Bibliothèque nationale du Canada

Révision linguistique : Diane Martin
Mise en pages : André Vallée

Personne n'y peut rien
mais les objets mais les choses
personne personne
mais il était une fois toutes les fois
jamais toujours et pourtant

GASTON MIRON

Il faut sauver le vent

ALEJANDRA PIZARNIK

Hier

Comme d'autres marchent allègrement vers la folie afin de rester vivants dans un monde stérile, je m'applique à vouloir conserver. Je m'accroche aux objets, à leur description, à la mémoire de paysages tout entier dessinés dans les plis des choses qui m'entourent. Chaque instant me requiert, regard ou sensation. Je m'attache aux objets. Je ne me départis pas facilement des jours en les reléguant dans le livre des blancs de mémoire. Il y a des mots qui m'enflamment. Je prends le temps de regarder autour de moi. Certains matins, je me laisse porter par le plein plaisir de naviguer entre les secondes. Je perds alors la voix. Cela ne me gêne pas. J'en profite pour écouter la vie autour avec une avidité que je ne me soupçonnais pas. L'idée de rester calme ne me déplaît pas. Certains jours, je m'arrange pour que tout soit gris comme en novembre ou sombre puisque j'aime la tempête.

Un rien me bouleverse. Je lis beaucoup. J'ai l'œil pour repérer le malheur. Je parle rarement de la misère. J'ai grandi entourée de la beauté des hivers blancs ; chaque été pendant des années, je me suis noyée dans la troublante chaleur de juillet, enfouie corps et âme dans le vert noble et frivole d'une végétation allègrement bousculée par le vent qui nous venait du fleuve. En ville, nous habitions devant un parc. Souvent, des mouettes égarées venaient devant la maison s'adonner à de grandes manœuvres d'atterrissage avant de confondre tout doux, tout doux, leurs ailes lisses et la rosée fraîche du matin. Cela me procurait du plaisir et j'en concluais que j'étais une enfant heureuse.

Je parle rarement de mes petites frayeurs. Je ne sais pas comment expliquer l'amour d'une mère pour ses enfants. Je ne possède par d'armes comme les gens du Sud. Un rien ne me fait pas trembler. Lorsque la tempête de verglas nous a plongés dans le froid, j'ai lu sous le plus tragique des éclairages quatre essais sur l'Antiquité. Je suis facilement influençable et cela me bouleverse de me savoir à la merci d'une statistique, d'un proverbe, de trois chapitres que je soupçonne d'avoir été écrits sous l'influence des eaux fortes de la violence ou du pire désespoir.

Hier, j'ai marché longtemps. Premier jour de mai. Partout, on se manifestait dans la ville. Je me suis immiscée dans un groupe de travailleuses aux tabliers bleus qui chantaient à gorges fortes, déployées comme un drapeau sur le grand mât d'un navire. Lorsque j'ai quitté l'ensemble sonore, je me suis sentie perdue. Je ne savais plus où j'étais. J'ai pensé aux enfants errants que l'on voit dans les films de guerre. À leurs mères, à leurs yeux fous quand elles viennent de comprendre qu'elles ne les reverront plus. Je pense souvent à la guerre, mais comme on pense à manger un biscuit soda. Je veux dire j'oublie vite que je viens de penser à la guerre.

Je ne sais pas grand-chose de la douleur, mais j'ai la certitude que pour écrire, il faut au moins une fois dans sa vie avoir été traversé par une énergie dévastatrice, presque agonique. Je n'aime pas beaucoup employer le mot agonie. Depuis la mort de maman, je sais que cela signifie chercher son souffle, avoir le soi enfermé dans de petites veines bleues qui font penser à des papillons sur le point de partir au loin.

Agonie : je vois qu'il s'agit de l'œil, de tourner l'œil vers l'intérieur même si la pupille travaille très fort à dire adieu, à s'enquérir du temps qu'il fait, à laisser la lumière pénétrer, si peu, si peu.

Les mots m'enflamment. C'est tout récent. À la vérité, je crois que c'est depuis que je travaille au Musée de la civilisation, rue Dalhousie. On m'a confié la tâche de préparer les notices qui servent à décrire, à dater et à situer géographiquement la provenance des objets exposés. Je prends des notes. C'est moi qui compose. J'aime prononcer les mots à haute voix en les écrivant : statuette callipyge, broche d'Irlande, poupée de porcelaine, pistolet à fusil, couteau rituel en or. J'accepte parfois de petits contrats des galeries d'art contemporain à Montréal. Hier, par exemple, ça m'a fait drôle d'écrire 2000 sans ajouter avant J.-C.

Hier, pendant le vernissage : je regarde les gens. Je reconnais l'étonnement dans leurs yeux à une peur simple presque nonchalante qui les mène sans précipitation d'une urne à l'autre. Il fait chaud. Les hommes s'épongent le front. Les femmes s'essuient le haut de la poitrine là où la chair est douce et invitante.

Fabrice Lacoste va et vient dans la grande salle d'exposition. Souriant, accueillant, il offre un conseil, une information, parfois quelques mots qui au lieu d'éclairer le visiteur sur l'exposition la lui rendent encore plus mystérieuse et ainsi plus désirable. À ceux qui s'enquièrent auprès de lui afin de connaître l'emplacement de la salle blanche numéro 1, il a une étrange façon de répondre en fermant la main, un pouce à la verticale, l'index pointé dans la bonne direction.

Le temps luit dans le temps.

Déjà un mois depuis que Simone Lambert a réuni tout le personnel autour des caisses arrivées le jour même. Elle parle longuement de l'exposition, de son importance et de la chance que nous avons de travailler à sa réalisation.

Elle entre dans le détail des petits gestes et des précautions à prendre puis elle parle de l'étrange sensation de bien-être que nous éprouverons une fois commis à l'exposition. Elle nous met en garde contre le sentiment de vertige puis de vulnérabilité qui sera le nôtre les premières semaines suivant l'ouverture de *Siècles lointains.* « Il faut être responsable devant l'histoire, ne pas la laisser nous engloutir dans l'oubli. »

Il avait fallu trois ans de négociation, quatre voyages au Moyen-Orient, une patience d'ange et une volonté de femme pour résister à toutes les embûches et tracasseries qui s'étaient présentées, malentendus culturels et mesquineries sexistes, paperasseries douanières et transports délicats, et en arriver à ce bel aujourd'hui de printemps chaud. Maintenant le temps fonce tout droit sur Simone Lambert, tout droit sur son corps, sa vie, son futur. Il s'enroule autour de ses gènes comme le serpent autour de l'arbre de la connaissance. Le temps fabrique du temps à même sa peau, ses os, sa façon de marcher, de s'adresser aux gens qui, l'ayant aperçue appuyée sur le remblai de la mezzanine, viennent à sa rencontre pour la féliciter.

En bas, Fabrice Lacoste discute avec un homme beau, félin, lettré. Une main dans la poche de son veston, l'autre virevoltant au même rythme que les mot qui sortent de sa bouche. Il s'en donne à cœur joie. À coup sûr, il charmera l'étranger. Il sait. Depuis toujours. Tous les sujets lui réussissent ; d'ordinaire il s'en tient à l'écologie, au nationalisme et à l'archéologie. Il entre dans le vif du sujet, puis le contourne de manière à parler le plus longtemps possible de l'art sans être interrompu. La plupart du temps, il commence son laïus par un fait historique auquel il accorde une importance démesurée de sorte à pouvoir par la suite procéder à une argumentation en règle lui permettant de replacer ce même fait au bon endroit de la mémoire collective puis, partant de là, il amorce une vigoureuse et sensuelle description de la passion que la vue des artefacts devrait susciter chez tout véritable amateur d'art et de civilisation. Il parle, sourit. D'ici peu, il remarquera que la respiration de son interlocuteur s'est légèrement accélérée. Étonnant tout de même que lui qui respire si mal dans sa propre culture ait le don de susciter bien-être et excitation chez les hôtes du musée en quête de culture. N'avait-il pas un jour confié à Simone à quel point vivre ici l'écœurait.

« Écoute, Simone, j'aime l'histoire, mais je déteste cette ville. » Simone était devenue de glace. Personne travaillant dans ce musée n'avait le droit de parler ainsi, surtout pas en sa présence. Lacoste aurait voulu froisser ses paroles comme on jette au panier un brouillon. Il s'était contenté d'ajouter :

« Quelle drôle de passion nous anime ? Nous n'en avons que pour les tombeaux, les urnes et les masques ? Je sais, il faut aimer ce qui nous entoure. Au moins comprendre, mais n'allons-nous pas à notre perte avec tous ces éclats de deuil qui nous hantent au nom de la civilisation ? Ça fait quinze ans que nous vivons entourés de collections de flèches, de crucifix, de chapelets, de ciboires, de berceuses. Ça me rend fou. »

Ce jour-là, Lacoste était retourné dans son bureau sans refermer la porte derrière lui. Simone l'avait entendu demander à sa secrétaire de le mettre en communication avec le directeur du palais des Offices, puis, songeuse, elle s'était tournée vers la fenêtre. Dans sa tête, le printemps allumait les paysages lointains qui la hantaient depuis le jour où elle avait fait ses premières fouilles. Pendant des mois, tout avait été bleu comme si dieu existait, puis chaque émotion avait été teintée de blanc puisqu'une douce folie sans retour s'était emparée du paysage de pierre et d'ossements. Pendant des mois, elle avait partagé les instants les plus précieux de sa vie avec Alice Dumont. Elles allaient de site en site à la recherche d'un futur et des mots qui feraient de leur amour une réalité.

Depuis la mort de maman, j'ai entrepris de dire ce que je pense à des personnes imaginaires. Je dis ma mauvaise humeur, mes pensées, mes craintes. J'essaie aussi d'imaginer les réponses quand ça craque dans mes pensées. Tout dire ne me rend pas pour autant heureuse et je ne sais d'ailleurs pas pourquoi on insiste tant pour que tout un chacun se raconte, qui plus est : à vif. Depuis hier, c'est comme si j'étais devenue meilleure, allumée par je ne sais quelle flamme qui me donne à rêver dans un monde où plus personne ne rêve de rêver. Les malheurs se multiplient comme des bêtes au milieu du savoir technologique. Le savoir se répand comme la misère. Il me semble que mon imagination travaille trop vite, qu'elle double de volume à chaque intention du cœur. Que les images s'interpénètrent violemment à n'en plus finir, changeantes et indescriptibles. Je vais souvent au théâtre. Toutes les formes de dialogue attisent ma curiosité. J'aimerais comprendre ce qui donne au dialogue sa noblesse et ce qui en fait un art majeur pour nous qui vivons enroulés sur la solitude comme des boas

inoffensifs. Que vaut une question dans un dialogue ? Jusqu'à quel point les réponses sont-
elles utiles ?

Hier, en revenant du Musée : j'ai la tête
pleine d'images de tempêtes. Une mer de
tableaux et de photos à n'en plus finir. Les
autres tempêtes, je les construis comme un décor
avec des personnages sombres et anonymes,
impossibles à identifier. Je reste ainsi toute la
soirée collée à l'existence d'une tempête sans
me sentir menacée. J'attends. Au bout de
quelques instants, je deviens, je suis la tempête,
la perturbation, la précipitation, l'agitation qui
met en péril la réalité.

Assise devant la grande fenêtre de son appartement qui donne sur le fleuve, Simone Lambert relit pour la quatrième fois en vingt ans la correspondance de Marie de l'Incarnation. Tous les cinq ans, elle se replonge dans le quotidien de la Nouvelle-France autour de cette femme qui plus que tout l'intrigue. À chaque lecture, elle essaie de départager ce qui appartient à la femme, à la France, au XVIIe siècle, au hasard d'une vie comme cette liberté qui lui fut redonnée deux ans à peine après son mariage. Simone Lambert a toujours aimé les livres autobiographiques et la lecture de la correspondance des grands de ce monde et des femmes qui en constituent le cœur. Elle sait que la valeur des gens se révèle judicieusement à travers les paroles de longue durée que seuls l'amour et l'amitié peuvent faire naître. Elle aime se tenir silencieusement au milieu du quotidien de femmes et d'hommes qui ont su parler du vent sur leur peau, du feu dans leur ventre et de tous les orages possibles à haute teneur en violence historique.

Chaque lecture lui fait découvrir des paysages insoupçonnés, des aspects inédits du tempérament de Marie Guyart, des anecdotes simples lui permettant de se faire une meilleure idée de la vie quotidienne au pays. Elle scrute attentivement toute information qui justifierait de nouvelles fouilles dans la ville. Encore aujourd'hui, il suffit qu'une petite rumeur rende plausible la possibilité d'une trouvaille pour qu'elle décide d'aller arpenter les rues de la capitale. Elle s'imagine en train de faire la découverte d'objets précieux ou d'ossements mystérieux ayant échappé aux fouilles des archéologues ; tout comme à l'époque Alice aimait songer en marchant sur les quais de la Seine que le hasard lui ferait mettre la main sur la première édition d'une œuvre majeure ou sur un manuscrit que l'on croyait à tout jamais perdu.

La sonnerie du téléphone. C'est Fabrice. Il raconte, il transcrit verbalement les commentaires élogieux qui circulent sur le Web au sujet de l'exposition. Ils n'en ont que pour le lion, la Vénus de Prusse et le revers du miroir en argent de la niche numéro 7.

L'appel a sorti Simone de la bulle d'harmonie et de mélancolie dans laquelle elle flottait. Elle décide d'aller cultiver son plaisir et sa solitude sur les plaines d'Abraham. De la rue de Bernières, il lui suffit de trois petites minutes de marche dans l'herbe fraîche avant de retrouver le banc vert d'où elle vient souvent regarder le fleuve filer vers la mer. Sur l'autre rive, les installations de la pétrolière Irving avec ses réservoirs et ses hautes cheminées dont la fumée finit toujours par se confondre avec le gris des nuages et de leurs graffiti au-dessus de Lévis.

Pour chaque fiche, j'invente une légende à travers laquelle je revis une partie de la vie de l'objet comme si mon histoire en dépendait. C'est la seule façon que je connaisse de pénétrer au cœur de l'artefact, d'y séjourner mentalement de manière à respirer l'air du temps qui s'y rattache, d'entrer dans son paysage avec ma peine contemporaine. Hier, je n'avais pas réalisé à quel point cette peine est immense. N'est jamais peine perdue. Bien au contraire, elle vit fort, alimentée par des désastres toujours plus majeurs, cultivés exprès, on le dirait, pour créer de nouveaux sites d'enfouissement où chacun peut déverser sa peine. La peine est constante. Autour tout disparaît : les parents, les amitiés, les édifices entourés des plus beaux jadis et autrefois comme autant de frises et de parvis.

La peine contemporaine n'entre pas dans tous les objets de la même manière. Certains résistent mieux que d'autres au chagrin, qu'il soit collectif comme celui de la guerre ou intime comme une peine d'amour. Les collections de radios, de caméras et de stylos sont celles qui absorbent le plus facilement la tristesse, la nostalgie, l'énormité de la peine qui travaille en sourdine à nous faire mourir d'angoisse devant l'évidence du court terme.

D'habitude, je ne cultive pas de telles pensées. La peine se déverse naturellement dans l'objet et l'objet retrouve naturellement son éclat de petit objet pendant que je lui assigne un nom, un âge, une fonction. L'impression de secret, de rareté et de fragilité qui se dégage des petits objets, eussent-ils un jour été armes à mille tranchants ayant causé la mort et semé la terreur, m'a toujours fascinée. Ils sont comme des racines gorgées de sève, transpercés de part et d'autre de flèches signifiantes qui les font ressembler à des arbres de vie et de connaissance. Au musée, j'ai le rare privilège de pouvoir les toucher et de les aimer sous toutes leurs facettes, de détecter l'angle juste qui les fera valoir sous l'ombre et la lumière.

Hier, un miroir du XVIIe siècle entre mes mains : l'objet est lisse, il glisse entre mes doigts, par je ne sais quel miracle, je réussis à le rattraper. Je me suis fait mal pendant la manœuvre. J'ai pensé au mot spéculum, à tous les siècles rassemblés dans notre œil si curieux et raffolant des étoiles au loin.

Il pleut depuis deux jours. *Hier* est un mot dont je fais mauvais usage. Depuis la mort de maman, je m'en sers contre le présent. Je suis restée accrochée au mot agonie. Toute ma vie d'adulte j'ai prononcé ce mot sans soupçonner l'ampleur du combat qu'il désigne, tout comme aujourd'hui j'emploie sans doute à tort et à travers le mot guerre. Agonie, je répète souvent le mot lorsque je travaille à mes fiches comme d'autres reprennent leur souffle en cultivant leur jardin. Agonie : persister à vouloir respirer l'air du temps qui n'est plus tout à fait le nôtre. Voler quelques heures, un jour, peut-être deux. Le jour de la mort de maman, il a fait si froid qu'Hydro-Québec en a parlé dans son bulletin mensuel pour vanter sa capacité à bien nous chauffer malgré le froid intense de -21°C qui prévalut ce jour-là.

Je ne pense jamais à ma mère de son vivant. Je ne la revois qu'à l'agonie ou morte mais encore chaude. Les joues creuses. La bouche ouverte. Les yeux fermés. Une vie toute une vie en allée. Une enfant accrochée au temps métaphysique qui bouleverse ce qu'il y a de plus intarissable en nous : la vie, le corps, cette immense blessure prédestinée à ne jamais guérir et dont nous devons nous accommoder.

Rédiger des fiches m'oblige à garder un pied dans la réalité que je confonds facilement avec le besoin d'être renseignée. Aussi, certains jours de travail je fais une boulimie de journaux et de revues. Je me sens une obligation de savoir, un devoir de mémoire excessif, douloureux qui me donne l'impression d'avoir le nez collé à la mort et aux choses simples et tristes que sont les accidents, les disparitions, la misère infâme.

Une fois les objets arrachés à la disparition, à l'oubli, une fois relancés dans le présent et proposés au regard des vivants, la réalité tourne autour selon la façon dont nous les conservons et les détruisons.

Depuis que je vis ici, le sens de la vie a pris un autre tournant. Dans mon petit appartement de la rue Racine, j'ai commencé à faire des crises de tristesse comme si j'avais perdu à tout jamais le plaisir des caresses et des grands fous rires qui accélèrent notre chute dans l'infini.

Hier, j'avais congé : après deux ans de vie laborieuse à Québec, je me décide enfin à aller voir la tour Martello et les moulins à vent près du boulevard Langelier. L'existence d'une tour Martello à proximité de mon appartement, combinée à la grisaille du petit jour, a réveillé en moi le paysage de Dublin, la joie que m'avait procurée ce court trajet le long de la mer entre Dublin et Dun Laoghaire. L'autobus était passé à vive allure devant la tour Martello. J'avais à peine distingué la pierre de grès, la masse grise tout en rondeur érectile qui, parce que parfaitement lisse, n'offre aucune brèche aux assauts de l'ennemi. Durant ce court temps, j'avais répété Molly/Martello au point de sentir le corps de Molly contre le mien. Le contact léger de ses seins sur les miens. La Tour déjà loin derrière le bus, j'avais cherché à engager la conversation avec ma voisine de banquette. J'avais aussitôt ressenti une telle incompétence linguistique que je m'étais tout naturellement retirée dans un doux silence en pensant que « Joyce était résolument hostile à l'usage des guillemets, et en particulier à leur emploi dans les dialogues ».

J'ai rencontré Carla Carlson un soir de mars au bar de l'hôtel Clarendon. Depuis, nous nous rencontrons deux fois par semaine. Tous les deux ans, elle vient passer trois mois à Québec, quatre s'il le faut, pour terminer un nouveau manuscrit. Elle descend au Clarendon, demande une chambre avec mince filet de vue sur le fleuve. La même depuis dix ans. Elle parle admirablement le français et quand elle rit c'est encore mieux, chaque mot se transformant en paysage humide et lumineux. Je prépare soigneusement tous mes rendez-vous avec Carla Carlson. Depuis notre première rencontre, elle n'a pas cessé de me contredire sur tout, comme si c'était là une posture noble et philosophique qui aiguise le sens des responsabilités et de la convivialité. Mettre à mort un argument lui donne un plaisir qu'elle qualifie d'érotique. Certains soirs, elle sombre dans un mutisme inexplicable et cela, toujours au moment le plus stratégique d'une conversation, c'est-à-dire quand tout semble enfin facile, intime et propice à un doux laisser-aller de paroles perméables à la métaphysique et à toute autre proposition qui honorent la vie. Après toutes ces années d'écriture, elle a conservé une naïveté qui lui permet, dit-elle, de rester au niveau des bêtes, là où il lui est plus facile de développer son talent de conteuse. « C'est ainsi que j'excelle à nommer les animaux sauvages de la forêt et les autres dont la chair se retrouve juteuse et assaisonnée dans nos assiettes urbaines. » Dans le méli-mélo de nos conversations, elle parle souvent de son père, de la façon qu'elle a de se promener avec lui comme s'il était sa possession. L'homme aurait pu être poète et naître à Swift Current ou à North Battleford. Grand ébouriffé aux ancêtres vikings, il avait le physique d'un camionneur et l'apparence d'un rêveur. Au fil des années, il avait développé le style *still canadian*. Carla le revoyait toujours debout bien droit, les pieds arrimés à l'asphalte des *highways* du nord, ses yeux bleus malins palpant le satin du vent, scrutant le futur, les femmes, et l'est qui le rendait toujours nostalgique comme lorsqu'on regarde filer le temps et baisser le niveau du whisky dans son verre. Dans tous ses romans, l'homme réapparaissait, mythique et indéchiffrable. Comme tant de femmes ayant grandi dans les plaines, Carla avait pris possession de l'âme de son père, c'est-à-dire qu'elle avait bel et bien ficelé l'homme comme un personnage tapageur au fond de sa mémoire, l'avait condamné à subir ses moindres caprices d'auteure. Tantôt elle l'appelle le vieux, père ou mon papa selon que la pitié, le devoir ou l'affection soulève sa plume de femme trop jeune, trop vieille.

Cela faisait maintenant vingt ans que Simone Lambert vivait à Québec, une ville qu'elle connaissait pour y avoir séjourné brièvement il y avait de cela plusieurs années. Elle avait quitté Montréal par suite d'une offre du ministère de la Culture l'invitant à diriger le futur Musée de la civilisation. On lui avait donné carte blanche, un budget fort appréciable et des collaborateurs savants et audacieux. Elle s'était juré de rendre le nouveau musée célèbre dans le monde. Elle avait tenu parole, travaillant au rythme effréné de son désir et des contraintes administratives. Sa fille unique partie vivre en Amérique latine, aucun lien ne la rattachait à Montréal sinon quelques souvenirs de jeunesse, rangés harmonieusement dans sa mémoire d'enfance : défilés de la Saint-Jean-Baptiste, arrivée du père Noël au centre-ville, souvenirs à saveurs variées bien alignées dans la case anglaise des jours de grand faste : hot dog, hamburger, popsicle, smoked meat, fish & chips, et sunday. Parfois une calèche d'antan traversait son regard et lui tenait lieu de mémoire collective. Une tempête de neige, une pluie de flocons lents au-dessus de la ville suffisaient pour qu'un mélange de désir et d'allégresse surgisse entre ses jambes. Cristaux de rêveries.

Pendant longtemps elle avait su qu'une partie de sa vie se déroulerait ailleurs. Un ailleurs qui la rendrait versatile et lucide. Oui, très tôt elle avait su qu'il lui faudrait souvent quitter Montréal, aller vers des villes anciennes comme si elle avait compris que seuls les vestiges du passé pourraient allumer en elle un vivre au présent vertigineux. Soleil ardent et lumière blanche, morceaux de bronze, ossements, fragiles poteries, poussière des siècles lui donnaient des ailes. Ivre de vie, ivre de la beauté d'Alice Dumont, elle vivrait à perte de vue dans l'inédit, sa fascination pour les civilisations sans cesse renouvelées dans leur disparition par leurs ruines incontournables.

Cela lui était apparu évident un jour qu'elle mangeait en compagnie de sa mère et de sa grand-mère dans le restaurant art déco situé au neuvième étage d'Eaton. Chaque récit de voyage effectué par sa grand-mère suscitait en elle un nombre incalculable de petits bonheurs et de questions. C'est ainsi qu'entourée de vieilles dames anglaises bavardant avec enthousiasme comme si elles étaient sur le point d'accorder le droit de vote aux Canadiennes françaises qui ne l'avaient pas encore, elle avait compris que sa vie serait faite d'un incessant va-et-vient qui l'éloignerait de sa ville tout en la rapprochant du monde des femmes qui était alors sans nom pour elle. Comme sa grand-mère, elle irait de ville en ville, de musée en musée, de ruines mystérieuses en sites fabuleux. Masses de marbre, murs de briques lambrissés ou mosaïques d'or lui parleraient, la combleraient de joie, car elle saurait déchiffrer le secret qui avait un jour donné vie aux lions, taureaux et chevaux ailés à tout jamais en allée se réfugier entre les pages des plus grands mythes.

Et voilà que bientôt ce serait à son tour d'accueillir sa petite-fille maintenant devenue femme. À son tour de raconter et de faire connaître son monde de rêve et de travail. Quelques jours auparavant, Axelle lui avait envoyé un courriel dans lequel elle disait qu'elle espérait bientôt passer une semaine à Québec. Depuis, Simone Lambert attendait de tout son être cette rencontre avec l'enfant qu'elle n'avait pas vue grandir, avec la jeune femme dont elle ne savait rien sinon qu'elle travaillait dans un grand laboratoire montréalais de biotechnologie.

Dans quelques semaines, tout au plus un mois, Axelle Carnavale serait devant elle, avec toute sa jeunesse, sa vitalité de jeune femme, son savoir et son enthousiasme de jeune chercheuse. Au téléphone, la jeune femme lui avait semblé émue, assurément réservée. Elle avait dit aimer son travail. Elle avait été chanceuse de trouver un emploi en rentrant de New York où elle avait fait ses études. Elle vivait à Montréal depuis trois ans. Non, elle n'était pas mariée. Elle viendrait avec sa voiture. La plupart du temps, elle serait en réunion à l'Université

Laval et dans les bureaux de la compagnie Genobis. « Nous pourrons quand même passer de bons moments ensemble », avait-elle ajouté avec un petit accent anglais.

La chambre est mal éclairée. Une fine pluie tombe sur le lilas devant la maison. Un gris de plomb s'installe autour des voitures stationnées dans le parking derrière l'immeuble d'habitation. Un gris de centre commercial et de palais des congrès perdu entre deux autoroutes. Une vie sur fond de décor Big Mac Shell Harvey's et de Pizza Hut. Axelle regrette d'avoir loué cet appartement dans la rue Cavendish, à peine dix minutes en voiture du laboratoire. Le livre acheté hier dans une librairie de Côte-des-Neiges traîne sur le divan. Elle se souvient d'en avoir commencé la lecture dans une crêperie où elle s'est arrêtée une heure avant que le party rave ne commence. Il faudrait qu'elle téléphone à Simone. Lui dire qu'elle doit remettre son voyage à la semaine prochaine. Dire aussi qu'elle préfère coucher dans un hôtel pour ne pas la déranger, qu'elle n'aura peut-être pas autant de temps libre qu'elle l'avait prévu.

Axelle s'installe à l'ordinateur. Sur sa table de travail, une photo de sa mère avec une coiffure afro des années 70. La photo avait été prise par son père à Coyoacan, devant la maison bleue de Frida Kahlo. Il y avait aussi une photo de son père qui, lui, avait préféré se faire immortaliser devant la maison de Trotski à quelques coins de rue de là. Axelle était sans nouvelles de lui depuis très longtemps. À l'époque, Lorraine pensait qu'il était retourné en France juste à temps pour profiter des changements suscités par la fureur créatrice de Mai 68.

Je prépare soigneusement mes rencontres avec Carla Carlson. Je mémorise facilement chacune des phrases qu'elle utilise deux fois. *Hier, exceptionnellement, nous avions rendez-vous au café Krieghoff :* Carla est assise sur une banquette d'où elle peut tout à la fois me voir arriver, observer ce qui se passe au bar, plonger son regard dans le grand miroir qui tapisse le fond lointain de la salle. Sur le mur à sa droite, à la hauteur du regard, une mauvaise reproduction d'un tableau intitulé *The Ice cone at Montmorency Falls.* Toujours ce traîneau fou, ces chevaux au galop, une neige étale et obsédante. Du mouvement. De la tourmente. Exactement comme dans les peintures et les sculptures des Américains Russell et Remington où chevaux et *buffalos* se tordent le cou, plient les jarrets, filent à toute vitesse afin d'échapper aux coups de fouet que les hommes préparent avec des gestes amples et fougueux. Là où il y a la plaine et le désert, là où le froid et la chaleur immobilisent, il faut compenser formellement par le mouvement qui fait alors fonction d'esthétique et de récit.

Cheveux courts, yeux perçants comme ceux des chats. Pantalon et tee-shirt noir. À peine suis-je assise qu'elle place ses mains à plat sur la table, me regarde : *So* ? Carla parle avec douceur. Sa voix est suspendue, étale, égale. Il est évident que cette femme n'a plus peur de rien et qu'elle ne travaille plus qu'avec quelques éléments de mémoire. Deux ou trois scènes. Quelques phrases clés. Un seul paysage. Fort probablement l'horizon. La plaine. Une seule saison : l'été.

Carla sourit rarement. À midi, le soleil rase le bord de la fenêtre. Fait quelques vrilles dans les rideaux, puis cherche un autre rayon, recommence ailleurs entre les voix feutrées. À midi :

— L'esprit invente avec ce qu'il voit, a vu, ne veut pas voir. J'aime les romans de Marguerite Duras parce qu'elle sait donner vie à des pronoms. J'aimerais que tu me parles de l'exposition.

— Tu n'as qu'à venir la voir.

— Les urnes me font peur. Regarde-moi ce bleu de mai parfait.

Quelque chose arrive dans l'intensité. Comme si rien n'avait de sens hors l'intensité. Elle emploie indifféremment les mots intensité et immensité. Carla a le pouvoir de raconter par en dedans, de tracer des sentiers, des labyrinthes au fil de phrases qu'elle a le don de retourner sur elles-mêmes de manière spectaculaire. Puis, en quelques mots qu'elle tire de comparaisons heureuses, elle projette comme sur un écran des paysages sonores remplis de promesses.

— Oui, je fais souvent des détours par l'enfance comme si flâner par là rendait l'herbe plus verte. J'invente des crises. Je m'oblige à décrire des émotions qui ne sont peut-être pas essentielles à la compréhension de mon tourment. C'est comme si j'essayais de faire passer la littérature par un trou d'aiguille et qu'une fois la chose réussie je croyais vraiment que la réalité était passée par là. Cela m'irrite et m'excite tout à la fois. Cela m'oblige à continuer. Tu ne t'es jamais demandé pourquoi je viens terminer mes manuscrits à Québec?

— Sans doute pour profiter d'un dépaysement. Je n'en sais rien.

— Je viens ici pour m'obliger à continuer. Pour m'assurer que le fantôme de mon père et l'histoire de ma mère sont choses vivaces et viables partout où je vais.

Le silence de ma mère. C'est à travers l'espace ouvert par le silence de ma mère que je regarde le monde, que j'ai appris qu'il existait un autre monde dans lequel je pouvais m'engouffrer, rire à volonté et sortir victorieuse de toutes les épreuves. J'ai parfois l'impression d'être assise au fond d'une grande salle et d'attendre patiemment que le silence de ma mère moule mes pensées. Dans ce lieu de rêverie, j'apprends aussi à ne pas crier, à ne pas bousculer le silence de ma mère ni celui d'autrui.

Tout comme Carla avait grandi dans la blessure de son père, j'avais grandi dans le silence de ma mère. Aussi, à chacune de nos rencontres, je voulais lui offrir un peu de ce silence afin qu'elle le transforme en une aventure des mots capable de dissoudre l'énormité de la douleur, la masse immémoriale des corps et de leur présence fugitive à nos côtés.

Vivre au quotidien est un exploit. Je suis entourée de cris, de longues plaintes et d'une énergie farouche qui transforment le monde et le silence de ma mère en fiction, en une excroissance de vie, une virtualité sans nom pour les âmes qui à cette heure matinale dorment encore, iront dans quelques heures faire provision de nécessaire et perdre leur aptitude à la révolte en traînant dans les Galeries Sainte-Foy. Sans le silence de ma mère, je suis livrée aux bruits parasites qui augmentent la lâcheté de chacun.

Il y a quelques temps, en cherchant un livre dans la bibliothèque du musée, je suis tombée sur un feuillet dactylographié qui dépassait des pages d'un livre sur la taille des diamants. La curiosité l'emportant, j'ai lu les premières lignes. J'ai lu et encore. Depuis, cette page ne me quitte plus. Il m'arrive de la relire plusieurs fois dans une même journée. Son sens varie selon que je la lis le matin en me levant, l'après-midi quand le soleil inonde ma table de travail ou au retour d'une rencontre avec Carla Carlson. Je ne crois pas que la page ait fait partie d'un journal intime. Peut-être d'un roman. Certains jours, le sens de la page me semble évident, d'autre fois, il devient flou comme une conversation au bord de la mer où les syllabes se perdent et les pronoms se confondent avec le bruit des vagues et du vent. Aujourd'hui, j'ai mémorisé la page. Elle fait désormais partie de moi, peut à tout moment surgir dans mes pensées. Entière ou par bribes, lentement s'infiltrer dans ma vie quotidienne.

Elle me regarde avec une intensité qui me dissout dans la première lumière de l'aube. Son visage, monde vivide, je ne sais plus si j'existe dans un cliché ou si j'ai un jour existé dans la blancheur du matin devant cette femme aux gestes lents qui, ne me quittant pas des yeux, est allongée là devant moi, nue plus nue que la nuit, plus charnelle qu'une vie entière à caresser la beauté du monde. Soutenir son regard m'est douloureux. Je devine, je respire et je la devine encore. Quelques centimètres sous le manubrium luit un petit diamant qui semble tenir sur sa poitrine comme par miracle. Le diamant, sans doute retenu par un petit anneau fixé dans la chair, scintille comme une provocation, un objet de lumière qui guette le désir, happe l'autre. Je suis cette autre. Je suis l'émotion pure qui guette le destin tapi en cette femme. La femme offre son désir, sème en moi des phrases dont la syntaxe m'est inconnue et que je suis dans l'incapacité de suivre et de prononcer. Des mots sont là que je n'arrive pas à bien distinguer se*ins*, *ventre*, bl*h*anche, s*t*exe et entre eux, les lèvres de la femme remuent comme une eau de vie qui lave de tout cliché, promet que chaque empreinte du regard sera sexuelle sera répétée et fluide aussi vive que la lumière du matin qui absorbe les pensées les plus intimes. Ses bras sont ouverts. Elle s'offre à toutes les caresses qui, en langue maternelle, suspendent la réalité. La femme a tourné la tête légèrement de manière que sa gorge étonne. Il y a dans son regard des traces de cette eau qui, dit-on, jaillit quand la mémoire se fait verbe et relance le désir au bord des petites lèvres. Maintenant le regard de la femme s'engouffre dans le futur.

Chaque siècle offre une mise en scène de la souffrance de telle sorte que celle-ci se retrouve toujours au premier plan des pensées. Ainsi peut-on la voir transformer les plus humbles gestes en tragédies, écarter d'une main tout principe de vie. Le monde a changé. Il change tous les jours. Simone Lambert mangeait la plus exquise des tartes au sucre en compagnie de Fabrice Lacoste, qui s'essuyait le front comme aux moments les plus chauds de l'été en tentant de convaincre Simone qu'elle avait tort de ne pas aller à la Biennale de Venise cette année.

— Le monde a changé. Venise non. Il faut en profiter. Ça ne te dit rien les *fondamenti* ruisselant de lumière, les *vaporetti* qui déversent une foule fébrile à l'Arsenale puis à Giardini, les *campi* tranquilles au crépuscule ? Vraiment pas ? Un Bellini au Danieli ?

— Je n'ai pas le temps. J'attends la visite de ma petite-fille.

— À vingt-cinq ans, je ne crois pas qu'elle ait besoin de toi.

— Moi, j'ai besoin de la voir, de l'entendre parler de sa vie et de ses projets. Peut-être de Lorraine. (*Description de la salle à manger*) Le monde a changé. La réalité vacille. Autour de la réalité, la réalité encore, elle donne l'impression que tout continue au rythme tranquille de la syntaxe et des saisons. Mais où se loge la réalité ? Oui, le monde change. La vie fonce sur la vie. La vie nettoie la vie comme on suce patiemment la chair autour d'un os de poulet jusqu'à blancheur et satiété. Le monde a changé : l'aliénation est de retour cette fois-ci, flexible et majestueuse.

Fabrice était sur le point d'avaler une dernière bouchée de tarte tatin.

— Et si on se payait un petit extra ? Je nous commande chacun un verre de Icewine ?

— Si tu veux.

— Tu pourrais en profiter pour aller à Rome et revoir l'horrible cardinal Toffga. Qui sait, tu pourras peut-être enfin conclure un échange. On s'intéresse de plus en plus au Québec là-bas. L'idée de l'exposition *Le Québec au Vatican* a fait son chemin. En retour, tu pourras peut-être obtenir missels, ossuaires et reliques que tu convoites depuis si longtemps pour l'an 2005.

Le mot « ossuaire » resté en suspens dans la chaîne sonore, Simone observe un instant les mains de Fabrice. Androgynes et charnelles, elles se referment sur son briquet d'argent. Une petite flamme bleue s'élève au-dessus de sa tête d'homme. Il y a des années que Simone songeait à cette exposition qui non seulement aurait l'heur de plaire au vieux fond catholique des Québécois mais surtout témoignerait de la mouvance des croyances, de la plasticité des convictions et des émotions qu'elles font naître. Que voulait dire être de son temps sinon être condamné/es à faire comme les autres. À la rigueur, aller de petits extra en petits extra jusqu'à ce que, ayant perdu de vue la réalité, peut-être même un peu de son sens, on arrive à tricoter serré images et nouveaux concepts de manière à transformer le réel en une toile de fond transparente.

Venise. Simone revoit le bar de l'hôtel Danieli. Les chandeliers en verre de Murano veillant sur les clients comme des merveilles roses et bleutées d'un temps ancien à tout jamais suspendu au-dessus des épaules bronzées d'Alice. Le monde change. Pourtant Venise continue à déployer ses canaux, ses églises et ses hôtels particuliers. Puis à nouveau le monde change. De jeunes Africains attendent patiemment, au tournant d'une *calle* ou sur un pont, leurs trésors de faux sacs à porter Prada, Gucci, Veuillon ou Yves Saint-Laurent disposés soigneusement à leurs pieds sur un grand carré de drap blanc, de détecter ce brin de convoitise dans le regard des touristes qui leur assurera une maigre pitance.

Venise hurle dans le regard affolé du Titien se sachant traqué par la peste. Venise hurle noblement en chacun de ses lions d'or, hurle silence rentré dans la chair tendre de saint

Sébastien. Or Simone n'entend que le clapotis léger de l'eau de la lagune sur la vieille pierre des siècles, sur la souffrance qui ne se retire jamais d'un siècle à l'autre.

Les grands laboratoires sont pour la plupart situés le long des autoroutes à l'ouest de Montréal. Souvent, ils gisent entre deux Resto Bar chétifs tatoués de publicité tape-à-l'œil annonçant des spectacles de danseuses nues. Les édifices sont rectangulaires, d'un seul étage, blocs de ciment froid ou grands panneaux de verre teinté dans lesquels passent de gros nuages blancs comme ceux de Magritte et de petites voitures rouges qui, à toute vitesse, ont l'air de longs poissons rouges. Les chercheurs y sont jeunes, des deux sexes, passionnés et relativement bien payés. Les secrétaires y sont jeunes, susceptibles et indéniablement mal rémunérées.

À seize heures trente, Axelle monte dans sa voiture. Aussitôt, elle met en marche le lecteur de CD. La voix de Cassandra Wilson emplit la petite Écho rouge de l'année qu'Axelle vient d'acheter. Ce matin, on avait annoncé des orages en fin de journée mais le ciel est encore bleu. Axelle s'arrêtera au Loblaw's du boulevard Sainte-Croix qui lui sert tout à la fois de pharmacie, d'épicerie et de lingerie. Aujourd'hui Ray Something, le grand roux du Lab24,

dit avoir progressé dans le dossier des arguments pouvant servir à la défense de la compagnie contre les nombreuses poursuites intentées
contre elle. Vulgarisateur savant, Ray Something
termine chacune de ses journées en hurlant
de plaisir *and of course eternity is what I'm
getting at.*

Axelle aime son travail. Elle s'y consacre
avec une vigueur de néophyte. Sa curiosité n'a
d'égale que son ambition. Elle passe une partie
de ses fins de semaine à lire et à se documenter,
l'autre à danser jusqu'à en perdre le souffle et
à y laisser la peau de soie qui la recouvre de
la tête aux pieds. C'est plus fort qu'elle cet
emportement quand la musique, qui fait gonfler les mains, les jambes, les sexes voire même
les parfums de la nuit, donne l'impression de
vouloir s'installer à perpétuité en chacune de
ses cellules.

Dans la voiture, Axelle se répète à voix
haute : je n'ai besoin de *pessoa* (*en portugais
dans le texte*) et chaque fois elle accélère un
peu plus. Hier, dans une librairie de Côte-des-
Neiges, elle avait remarqué le mot sur la cou-
verture d'un livre. Un peu plus tard dans la
journée, le même mot était réapparu sur une
affiche où on recommandait de ne pas monter
à plus de six *pessoa*s dans un ascenseur vétuste.
Les mots sont des muscles grandioses. En
société, Axelle prétend qu'elle aime la lecture.
Elle ne dit jamais que cela lui permet de faire
une provision de jeux de mots qui l'aident à
passer le temps quand elle a envie de mourir.

Maintenant que je suis seule au monde, je peux imaginer sans avoir peur d'imaginer. C'est comme être nu sans *toi* protecteur. Il me semble désormais plus facile d'affronter la nuit, ce *buio* de nuit antérieure aux nuits de figues et d'olives des jardins anciens, aux nuits acides des villes de verre et d'acier, aux nuits des villes saintes où les âmes effrayées par l'apparence de leur corps vont comme des nuées d'insectes tremblants se réfugier.

C'est la première fois que j'éprouve le sentiment d'être sans toit. Rien entre l'univers et moi. Personne pour offrir un coin d'épaule et de tranquillité. Désormais j'irai, tête nue, offerte à la foudre et à la pluie. Tête libre, tête nue. Solitude plus que parfaite d'une femme rédigeant des textes elliptiques sur des fiches numérotées. Un jour, tous les siècles finiront par se ressembler sous la poussière d'étoiles. Pour le moment, je me contente de chérir mes siècles favoris, à commencer par le mien féroce et sournois, brillamment alimenté par la science, inapaisable dans son déchaînement contre la nature. Avalant au fur et à mesure chacune des meilleures idées que l'obsession du confort aura fait mûrir en nous comme de *petits-en-cas*.

Adieu, gorgones, griffons, gargouilles et dragons. Voici venu le temps du nucléaire, des tueurs en série, des clones et des chimères bio-industrielles. Voici venue l'ère de la stérilité productive et de la lucidité inféconde.

Simone Lambert lève les yeux vers la porte de son bureau au moment même où la nouvelle employée, que tout le monde ici appelle « la narratrice » à cause des histoires que le plus anodin des objets lui inspire, frappe deux coups sur le cadre de la porte entrouverte. « Entrez. » La nouvelle dépose une pile de petits cartons sur le bureau. Ses doigts sont tachés d'encre verte. Simone lui demande ce qu'elle pense de l'exposition. La narratrice répond en disant qu'on en parle beaucoup autour d'elle, que tout va bien puisque l'exposition fait couler beaucoup d'encre et courir de nombreux curseurs.

— Je vous demande votre opinion, reprend Simone.

— Je n'en ai pas. Tout ce que je peux dire, c'est que l'exposition produit une étrange impression. Elle agit sur le système nerveux plus que sur notre soif de mémoire dont est censé s'abreuver notre sens de l'histoire.

— Toutes les expositions agissent sur le système nerveux, sinon elles seraient sans conséquence. Même la plus ennuyeuse des expositions déclenche une série de stimuli dont notre système nerveux a besoin pour nous sortir momentanément de l'ici et maintenant douteux qui aspire nos vies tranquilles. Toute exposition nous arrache au présent pour mieux nous le redonner dans sa fracture agonique.

— Par étrange impression, je veux dire que je ne me sens pas à l'aise au milieu de cette exposition.

— Il faut être plus précise, sinon comment voulez-vous que... Merci pour les fiches. Veuillez refermer la porte derrière vous.

Simone se tourne vers le fleuve aujourd'hui d'un bleu presque méditerranéen. Rare. Car en chacune des vagues de ce fleuve scintille un gris ancien, gris de Normandie, coloris du nord qui engloutit vite toute velléité de couleurs vives. Les paroles échangées avec la narratrice ont troublé Simone ; alors facilement, trop facilement, elle tourne ses pensées vers le passé comme si elle espérait puiser là des forces nouvelles qui la délesteraient du présent immédiat.

Délos 1950. Alice est auprès d'elle. Elle porte une robe d'été d'un vert émeraude qui tranche sur la blancheur des pierres et du marbre sculpté. Les mains de Simone sont prêtes à tout pour rendre Alice heureuse. Alice ne demande rien. Ses gestes de séduction tranquille sont tournés vers la mer. Simone voudrait choyer, caresser, soigner chacun d'entre eux. Et même leur ombre, leur origine et leur raison d'être en ce monde, en ce jour de juin où le marbre blanc dévore le bleu immense et parfait du ciel. Elles marchent en silence. Tout autour, des brindilles d'herbe rousse lancent de petits éclairs secs que le regard capte au hasard. Alice n'en finit plus de s'émerveiller devant la Terrasse des Lions, sans doute des lionnes car nulle trace de crinière sur les magnifiques bêtes accroupies, prêtes à bondir, gueule ouverte sur la mer et le monde. L'île qui a vu naître Apollon et Artémis est sacrée. Les deux femmes foulent la poussière et le passé. Ici et là des colonnes brisées, renversées ou s'élevant dans la chaleur du jour comme un grand œuvre mathématique dompté par les rayons du soleil. Le silence des civilisations. Et toujours l'herbe qui repousse.

Hier, toujours au Clarendon. Pour la première fois le nom de Simone Lambert est tombé entre Carla et moi, ce qui a donné un éclairage nouveau à nos propos. Mon écoute est différente. Au début, Carla ne s'aperçoit de rien. Puis, trop tard, quand elle constate que le nom de Simone Lambert perturbe le rituel désormais initiateur de nos échanges, elle s'empresse avec un sans-gêne d'auteur de m'entraîner auprès de son père.

— Tu sais, toute sa vie, cet homme a eu du mal à oublier. Je le sais. *I know.* Très jeune, je peux lire dans ses pensées, le suivre dans les rues de Stockholm. Il est à la recherche de sa mère. Il répète : « Envolée, *gone*, psst! Volée dans ce qu'elle avait de plus précieux parce qu'elle refusait de rire et de parler comme une femme respectable. Moi je suis né, d'accord mais après. Fini, les enfants. »

Je ne veux pas entrer dans le chapitre cinq du roman de Carla. Je veux parler de Simone Lambert, de l'intransigeance avec laquelle elle exige que le monde ressemble à un musée. Je voudrais que Carla m'aide à comprendre ce

qu'il y a d'attirant en cette femme. Carla parle
et sans savoir comment, je me retrouve en train
de marcher dans les rues de Stockholm en
compagnie de son père. Il pleut. Ses vêtements
sont trempés. Il a bu. Il ne dit rien. Il ne pleure
pas. Aucun de ses gestes ne m'échappe. Nous
passons devant une boutique de mannequins.
Il dit je suis un chien (*en suédois dans le texte*).
Il passe sa main dans ses cheveux (*there is no
explanation for what he sees*). Une auto passe.
Il tourne à gauche, s'enfonce dans la rue
Komhamnstorg, entre dans un petit bar à côté
de chez Engelen où il commande une bière,
se fait servir du hareng. Il part sans payer.
Le patron le rejoint dans la rue. À cause du
brouillard, les deux hommes disparaissent
un instant. Le patron revient sur ses pas en
maugréant.

Carla renverse son verre. Je le rattrape.
Quelques gouttes de vin s'étirent sur la table.
Du revers de la main, je nettoie, j'efface. Carla
s'énerve : *What is the matter with you ? I need to
talk. Listen to me.* Tu ne vois pas que mon père
est malheureux. Il marche dans les rues de
Stockholm parce qu'il a peur de ne plus exister,
parce que sa mère est sur le point de ne plus
exister. Écoute-moi, je te raconte une histoire.
Vraie comme la vie de ma grand-mère et celle
de mon père. Papa, il marche dans Gamla Stan.
Il est malheureux comme un homme qui aime
sa mère. Il sait qu'elle ne pourra plus jamais
avoir d'enfant. Il a entendu parler de la loi qui
permet *ça*. Il sait comment *ça* se passe. Ça fait

deux semaines que je travaille à ce chapitre et que je meurs par en dedans en regardant *ton* fleuve, en écoutant les chansons de *ta* Diane Dufresne et les poèmes de *ton* Gaston Miron. Et ce fou d'Hubert Aquin que tu me demandes de lire. Il n'était pas plus malheureux que mon vieux les soirs de chinook.

Papa marche plus vite, il descend les petits escaliers de Marten Trotzigs Gränd, il court en direction de la Baltique. Il est encore très jeune. Il n'a pas encore couché avec une femme. Il marche à grands pas, récite en tremblant un poème de Gunnar Ekelöf. Comme un fou, il répète un mot que je n'arrive pas à reconnaître et il marche dans la nuit froide. Il pense à Noël, il joue avec un bateau. Sous l'arbre, il vient de trouver un bateau de bois. Tout d'un coup, c'est l'été, il pense qu'il va pleurer parce que le bateau s'enfonce dans le lac. Per et Olaf le regardent, alors il ne pleure pas. Le bateau refait surface. Per le lui prend en disant « c'est à moi ». Papa rentre à la maison. La porte grince. Il s'assoit dans la berceuse à côté de la table à manger. Maman plie des couches. Dehors, la plaine avale tout le vent qu'elle peut.

Le garçon apporte deux autres verres de vin. Carla le remercie, puis, se tournant vers moi comme si rien de ce qu'elle venait de dire n'avait existé, demande si nous pouvons nous revoir demain. Sans réfléchir, je dis : « Bien sûr, Carla. » Deux jeunes musiciens installent leur système électronique. Carla cherche son parapluie sous la chaise. Demain, Montréal m'attend pour la signature d'un contrat avec une maison de la culture.

Hier dans la voiture de Fabrice Lacoste :

— Vous vous plaisez à Québec ?

— Oui.

— Vous lisez beaucoup m'a-t-on dit ?

— Mon travail l'exige.

— Je veux dire, vous aimez la littérature ?

— Oui, et vous ?

— Cela dépend. Proust, Thomas Mann, André Roy. Vous savez pourquoi *La Mort de la Vierge,* une peinture du Caravage, a fait scandale en 1601 ?

— Je n'en ai pas la moindre idée.

— Il avait donné à la Vierge une allure de noyée. Son ventre était gonflé et on pouvait voir la chair des jambes. De plus, il lui aurait donné les traits d'une prostituée célèbre. Or, à l'époque, il était interdit de peindre les saints sous les traits de personnes vivantes. On ne soupçonne pas aujourd'hui à quel point l'art était alors codé et combien il était risqué de sortir des rangs. Quatre siècles plus tard, savoir regarder l'art reste un art. Savoir détecter une transgression, une anomalie, un clin d'œil fait partie intégrante de mon métier, de mon plaisir, devrais-je dire. Je ne sais pourquoi j'ai eu soudain envie de vous parler de cette toile. Vous n'avez pas idée du nombre de tableaux qui ont pour thème la mort de la Vierge. Giotto en 1310, Hugo Van der Goes en 1478, Albrecht Dürer en 1510, Nicolas Poussin en 1623, Carlo Maratta en 1686, tous ont voulu raconter à leur façon ce qui en principe devait être raconté de la même manière.

— Où se trouve le tableau de Caravage présentement?

— Au musée du Louvres. Vous aimez les femmes, n'est-ce pas?

— Oui. Vous aimez le théâtre, n'est-ce pas?

— Beaucoup, surtout la dramaturgie québécoise.

$\mathcal{S}$ imone Lambert aime circuler dans le musée les premiers jours qui suivent une nouvelle exposition. Elle regarde avec tendresse les écoliers qui déferlent vers les salles du musée, les vieilles d'âme qui s'avancent d'un pas lourd, se penchent difficilement pour mieux lire les notices. Aujourd'hui, on attend les enfants de quatre écoles et deux autocars du Vermont. Ce matin, elle a quitté l'appartement plus tôt qu'à l'habitude. Elle s'est arrêtée longuement au café Krieghoff, rue Cartier. Là, elle feuillette un album paru récemment sur les pyramides. Trop tard. Le souvenir d'Axelle traverse l'album. Sa fille Lorraine tient l'enfant par la main. Elle lève le bras en signe d'adieu ou de tu ne me reverras plus, maman. Autour d'elles, une foule dense, colorée. Des militaires, gardiens du présent, du passé et de la corruption. Derrière la mère et l'enfant, une pyramide. Depuis la mort d'Alice et le départ de sa fille, Simone Lambert avait cultivé sa vie, ses désirs, ses pensées de manière à ne conserver qu'une idée de la lumière autour d'Alice et celle du silence autour de Lorraine.

Au musée, elle arrête parfois une enfant dans sa course pour lui montrer une statuette, un masque, un jouet ancien, expliquer en un sourire et deux mots à quoi servait l'objet en son temps ou lui demander si la visite du musée lui plaît. Mais alors le mot se défait dans sa tête et c'est « plaie » qu'elle aperçoit planté dans la phrase. Cela lui arrive aussi en anglais quand elle dit *when shall we meet* et que le mot *meat* s'immisce insidieusement entre elle et l'autre. Encore aujourd'hui, elle rougit quand elle dicte à sa secrétaire *I look forward to meet you*.

Aujourd'hui, Simone se contente de regarder le flot bruyant des jeunes vies, épie leurs dialogues, le sens de leurs paroles à forte teneur en fabulation, attentive à la composition des petites histoires qui à peine commencées sont aussitôt détournées vers un autre sujet, un plus grand danger, un meilleur son, un plus grand écran. Civilisation, culture. Simone descend à la cafétéria. Au fond de la salle, des enfants avalent goulûment leur sandwich, chacun un verre de Coke à portée de la main. Civilisation oblige.

J'ai parfois l'impression de marcher sur un plancher de verre transparent où les grands principes humanistes forment une passerelle étroite sans garde-fou qu'il faut obligatoirement traverser en prétextant ne pas avoir peur ni vertige. Avancer dans la vie, les poings fermés, les yeux terriblement savants et vibrant d'identité. Une fois que l'on a reconnu le mensonge et la violence comme faisant partie intégrante du *kit* de survivance et de domination, une fois qu'on a compris que l'idée du progrès est une façon commode d'éliminer l'odeur de la merde sans pour autant éliminer l'odieux de la douleur et de la mort, comment prétendre réfléchir adéquatement sur le sens de la vie? Comment ce qui va si bien dans ma vie et si mal dans le monde peuvent-ils coexister sans que la conscience à vif ait envie de se décommander?

Autour de moi, les gens parlent de la guerre en fronçant les sourcils comme des acteurs professionnels. La guerre est pourtant dans notre quotidien une chose inodore et sans saveur. Mais elle est là, occupe en temps réel une partie de nos vies comme si le temps consacré à faire œuvre d'humanisme était simultanément un temps consacré à la compréhension de la guerre. Peut-on sortir de l'humanité sans entrer dans la fiction? Certains parlent de la guerre comme d'un scandale. D'autres comme d'un «napa le choix». Les arguments s'effritent en cours de conversation. Ne restent que les images télévisées. Le mouvement continu des bouches salariées que sont celles des présentatrices, des journalistes, des spécialistes et des diplomates. Ne reste qu'à calculer les profits du prochain salon de l'humanitaire afin de réinventer la guerre comme un vrai suspens, un *soap* puissant qui nettoie des odeurs ennuyantes du quotidien.

La rue Sainte-Catherine rutile de partout, à l'ouest comme à l'est, les vitrines ont repris, à ce qu'on dit, leur éclat. Car il fut un temps assez récent où les commerces étaient comme des caries de chaque côté de la rue. « Faire la Catherine », disait souvent Lorraine. Axelle ne connaissait de la rue que quelques noms qui avaient jadis fait sa réputation : le Forum, Eaton, Morgan, le Casa Loma, le Continental où ses parents allaient, entourés de leurs amis jeunes et de vieux poètes, préparer la révolution et se rouler quelques joints. Aujourd'hui, malgré le soleil de mai, la rue semble désœuvrée. Les trottoirs sont défoncés, ici et là, les « tristes » flânent ou circulent, cigarette au bec, laisse à la main. Jeunes femmes à jupettes de putes et de tristesse, *squeegies* gauches et musclés, gars à grosses bottines et pantalons tachés d'urine, ça circule au milieu des complets, cravates et souliers vernis, ça circule comme elle distraitement, les yeux enfoncés dans quelque chose de rare, d'attirant et d'irréel.

Axelle pense qu'elle devrait aller au cinéma comme elle le faisait si souvent du temps où elle habitait chez les Morelos, à New York. Mais le corps a maintenant besoin de bouger non-stop. Un peu avant d'arriver au coin de la rue De Bleury, elle se sent happée par un trou noir tonitruant. Pendant un temps, Axelle erre au milieu d'un ensemble d'écrans hurlants et d'un bourdonnement continu d'autos virtuelles actionnées à grand prix de rêve et d'électricité. Ici et là, de jeunes mâles fument, se bousculent en émettant des sons de mutants et de guerriers, brassent à mort des dizaines de cages à *fun* et à fureur de vivre. Étourdie par le bruit, Axelle finit par s'arrêter devant deux timides machines à boules. Dans l'une, elle glisse un huard, puis de chaque index, elle actionne les rondelles en plastique qui permettent de contrôler le jeu. Les billes argentées virevoltent dans un flot de scintillements jusqu'à ce que, avec un déhanchement spectaculaire et un effort de *final answer*, Axelle arrache au hasard deux parties gratuites. Sur la pointe des pieds encore tendus par l'excitation, Axelle pense à sa grand-mère qui, à ce que racontait Lorraine, prenait un malin plaisir à jouer de ces machines à *flippers*, illégales à une époque, et qu'on trouvait dans les snack-bars dispersés ici et là le long de la route qui menait vers les lacs au nord de Montréal. Ainsi, dans la saveur évoquée des frites, des Orange Crush et de la bière d'épinette, Axelle imagine-t-elle pendant quelques secondes Simone en personnage glamour souriant de plaisir dans la chaleur moite de l'été québécois.

Hier, après avoir signé un contrat avec la Maison de la culture de Côte-des-Neiges pour les fiches de l'exposition intitulée Migrants et Gitans: je m'arrête à la librairie Olivieri. Je feuillette quelques livres. Dans la section des sciences, une jeune femme qui semble pressée se tourne vers moi en me demandant si *La manipulation génétique* est arrivé. Une minute auparavant, j'avais remarqué le titre dans un rayon voisin. Tout en prenant un air de spécialiste, je vais chercher le livre : il vous plaira, j'en suis certaine. Elle me remercie gentiment comme quelqu'un qui connaît bien la technique du *eyes contact*. Émue par son savoir-faire et son genre, je la suis du regard, d'abord jusqu'au rayon des livres de voyage puis vers la caisse et la sortie.

Quelques minutes plus tard, un livre sous le bras, «le corps frémit dans un ralenti de l'adieu». Je marche en direction du cimetière Notre-Dame-des-Neiges. Les cendres de ma mère sont là-bas quelque part dans une petite urne de bois. Soudain, la lumière du monde est indisciplinée, afflue vers moi pleine d'un silence inopportun. À l'intersection du chemin Queen-Mary et de l'avenue Decelles, un panneau annonce l'emplacement de l'École polytechnique. Le nom ravive des images de terreur, un massacre, un début d'hiver. Je marche entre les grands érables qui bordent les allées. J'imagine le corps cédant à la pâleur ondulée du temps et à son mouvement iconoclaste. J'absorbe une douleur simple, sans objet précis. La douleur effleure les cordes vocales, les yeux, elle rend toute comparaison fallacieuse. Je m'installe dans la pensée de ce que sont les dernières secondes d'une vie, celles dont on dit qu'elles portent en elles la lumière de tout ce qui compta un jour pour l'enfant en soi, ultimes secondes qui comme des outres gourmandes se gonflent à pleine capacité de l'énergie du présent. J'absorbe la lumière. L'énergie du présent et de ses créatures invisibles. Autour de moi, des saules pleureurs offrent leurs ombrelles.

Les cendres de ma mère et de mon père ont été déposées dans un caveau (*description du caveau*) sur lequel est inscrit un nom de famille tout à fait étranger à notre famille. **TOMBEAU DE LA FAMILLE O. FRÉCHETTE**. J'arrive à me rappeler le nom en pensant au poète Louis Fréchette. Tout en marchant, je me souviens d'être entrée une seule fois dans le caveau. C'était un jour de printemps alors que le froid, l'humidité et la boue ruinaient tout espoir de bonheur et de futur.

Peut-on dire que les pierres tombales sont des ruines? Qu'elles enflamment l'imagination et réveillent nos connaissances au même titre que les nécropoles des mondes anciens ?

Peut-on parler de ruines intérieures, paysages d'enfance dégradés par le temps ou savantes constructions de l'esprit, tels le stoïcisme et l'altruisme, érodées par le souffle mordant des nouvelles croyances ? Peut-on parler de ruines philosophiques ? Il m'arrive parfois d'imaginer mes contemporains circulant, bras ballants, entre des idéologies tombées en ruine, capables enfin de les observer sous leurs angles les plus remarquables et les plus sombres. Théories du progrès et de la communication dont les plus belles images ne sont désormais que carcasses d'une foule de petites choses ayant perdu leur luminosité. Il m'arrive aussi de frôler des sites entièrement composés d'images incomplètes dont les grandes lignes se terminent en forme de racine ou en queue de poisson ; images laissées en plan comme de vieux symboles incapables désormais de porter fruits et dont on ne sait quel danger ou quel nouvel attrait aura éloigné de leur usage ceux et celles qui les avaient à l'origine conçues pour le plaisir et l'intelligence de leur monde.

J'aime être seule pour réfléchir à tout cela. La plupart du temps ces idées me viennent quand je suis de passage à Montréal et que je remonte le temps au fil des origines du sang et des circonstances d'une jeunesse qui hérita d'une vue imprenable sur le monde.

Hier, il a plu. La chaussée de l'autoroute était serpent dangereux. Arrivée à Québec vers dix-huit heures, je suis passée à l'appartement pour me changer. Malgré la fatigue, je suis repartie au centre-ville retrouver Carla Carlson qui, un verre de dry martini à la main, m'atten-dait au bar du Clarendon : manifestement, nous sommes heureuses de nous revoir. Elle s'excuse pour son agitation, « ma folle ardeur de l'autre moi, de l'autre soir si tu préfères ».

— Tu comprends, il fallait que je termine ce chapitre. Papa parlait souvent de Stockholm, de cette nuit où il avait appris que sa mère était devenue stérile à tout jamais. Une nuit expres-sionniste à se tordre de désespoir. Une nuit d'encre avec un petit filet de lumière qui donne sur l'aube. Papa aimait la lumière du petit matin à Stockholm, blafarde et pleine d'une vibration qui transformait ses joies de jeune homme en questions majeures *about the mean-ing of life.* Quant à maman, elle n'a toujours eu qu'une seule histoire en mémoire. Elle nous la racontait fréquemment à ma sœur et à moi, aux voisins, au pasteur et même au vendeur de tracteurs qui, je peux en témoigner, ne l'a jamais interrompue malgré les vingt minutes que durait le récit de maman dans sa version âge d'or, qui correspond à la version finale à laquelle j'ai eu droit le jour de mon dixième anniversaire. Cent fois maman a remis sur son métier sa première version de *La mort de Descartes*. J'ai quatre ans lorsque je l'entends pour la première fois. Je suis assise sur ses genoux et j'attends. Ma mère se gourme, met sa main sur son front comme si elle devait réfléchir très fort, puis les mots sortent un à un de sa bouche comme des ballons. Joyeux est le mot.

Sans les histoires, imaginaires ou non, de mes parents, je n'aurais sans doute jamais écrit. Mais avant d'écrire, j'ai voulu être comédienne comme Marceline Desbordes-Valmore. La rencontre du silence des plaines avec les récits fous de papa et de maman me donnent envie de crier. Or, on m'a appris non seulement que crier est désagréable pour les autres mais aussi que c'est un signe de faiblesse, alors je décide d'apprendre à crier sans que ça y paraisse, un peu comme un ventriloque. Je crie mais personne ne sait d'où vient l'horrible son, le tumulte sonore. Je veux que ça ait l'air facile, que ça ne donne surtout pas l'impression d'un gouffre à franchir au-dessus de la mélancolie et de la révolte. Trois fois par semaine après l'école, je cours m'installer au bout du champ derrière notre maison. Je module ma voix avec des ah! lents, creux, curieux qui me donnent

un air étrange jusqu'à ce que je sente un ton-
nerre rond et granuleux monter en moi et que
soudain ça vilipende, cognasse et connasse dur
et fort, puis que ça vibre aussi soudain soudain
soudain que l'angoisse quand on fait tam-tam
des pieds et des mains pour se faire aimer. Je
fais ça jusqu'à ce que de ma bouche d'artiste
sorte hush, gosh, rush et grand hurlement (*en
suédois dans le texte*). Quand le cri est théâtral
et indéniablement tragique, je le qualifie d'huma-
nissime et je regarde fixement la porte arrière
de la maison. Elle s'ouvre en coup de vent et
papa sort avec des gestes que je déclare pater-
nels et inquiets. Quand il me paraît évident
qu'il a repéré dans la broussaille un brin de
tête au-dessus de la ligne d'horizon, je sais que
j'existe enfin au fond de sa pupille comme sa
mère exista dans tout son être la nuit de sa
course folle dans Stockholm. Alors je sais qu'il
n'a plus peur pour moi et que ses muscles se
détendent. C'est à ce moment-là que j'en profite pour le ficeler tout en lui faisant signe de la
main pour le rassurer. Furieux, car il se sait
ficelé, c'est à son tour d'émettre un son de
croassement. Puis il s'en retourne d'un pas vif
vers la maison. Je reste seule, debout dans le
vent. À ce moment précis commence ma carrière d'actrice. Pas question de jouer un seul
rôle. J'orchestre le décor et je joue plusieurs
personnages. C'est là que l'histoire de ma mère
entre en scène. Je joue ce que j'appelle *La mort
de Descartes*. Tour à tour, je suis Descartes,
c'est mon rôle préféré, une servante jeune et

belle qui tourne sur elle-même comme un danseur soufi, un cardinal dont le corps est si raide qu'il m'interdit tout autre mouvement que des yeux, des paupières et de la bouche. Et un perroquet.

La porte de son bureau est entrouverte. Dans le corridor, secrétaires et techniciens vont et viennent, dossiers sous le bras, cellulaire à l'oreille. Assise à sa table de travail, Axelle rédige un rapport à la main comme elle avait souvent vu sa mère le faire dans leur jardin de Coyoacan. Jambes écartées, la main gauche nonchalamment appuyée entre ses cuisses; mais bientôt l'effet combiné de la rondeur musclée de la cuisse et de la chaleur sous la paume font que les pensées suivent leur cours jusqu'au bas du ventre. Quelqu'un passe devant le bureau en saluant Axelle qui sourit tout en continuant d'écrire d'une main pendant que de l'autre elle fait glisser la fermeture éclair de son pantalon. Le chemin est libre, les doigts s'aventurent sous la culotte de coton doux, puis l'index fait ce que doit en glissant des grandes lèvres aux petites lèvres avant de s'installer un temps ici, puis dans une humidité généreuse qui convient aux séquences d'ADN sur lesquelles Axelle travaille depuis un an. Bien que technique, le rapport exige concentration et savoir-faire. Axelle songe à se lever pour aller fermer la porte, mais une image l'en empêche : une conque aux valves roses et spacieuses est installée sur le rebord de la fenêtre d'un appartement que l'on imagine situé dans une grande ville car, tout autour de la conque, le bruit est continu, dense et alarmant. La conque s'anime, vibre un instant dans la lumière du matin avec ce petit frisson que connaissent les huîtres quand la chair se contracte sous l'effet du citron. L'index sur le clitoris, Axelle reste ainsi sans bouger, tout en fixant le télécopieur à l'autre bout de la pièce qui donne soudain l'impression d'être insonorisée. Le temps s'étire puis le *fax* émet un petit grésillement aussitôt suivi d'un ronronnement pacifique qui semble exciter la jeune femme. Un léger tremblement. Le papier ondule et déroule son message. Le corps s'apaise. Dans la tête d'Axelle : un bruit de mer, puis d'inaudibles images lointaines. *Estragña*.

Les soirs où je n'ai pas rendez-vous avec Carla Carlson, je reste à l'appartement. Les nuits sont douces. Je laisse la porte du balcon ouverte. Je feuillette mes grands dictionnaires. Je consulte à tout propos l'encyclopédie avec un appétit insatiable pour les ruines et leur enseignement sur notre disparition et l'œuvre de désir en chaque civilisation. Ici, les poètes préislamiques Adi Ibn Zaid et al-Asha que l'on appela poètes des ruines, là des poèmes de Pétrarque pleurant sur le passé de Rome, les peintures de Pieter Van Laer, de Paul Bril et de Jan Frans van Bloemen, les dessins et les gravures d'Hubert Robert et de son mentor Giovanni Paolo Pannini.

Je prends plaisir aux paysages mélanco-liques des védutistes dont les ruines fictives et artificielles déplacées dans l'espace et le temps cachent un goût de bizarrerie que je ne par-viens pas à élucider. Je travaille jusqu'à très tard dans la nuit à remonter le cours du temps et parfois je fais d'heureuses trouvailles. Ainsi hier, je me suis retrouvée dans la famille des

Bibiena, premiers scénographes et décorateurs de fête et de théâtre.

Depuis que je vis dans l'ombre des clichés du chagrin, depuis la mort de maman, je me nourris de dialogues. Je m'entoure de ruines comme si elles étaient des sources d'émerveillement et d'étonnement. Je ne pense pas que la fréquentation des ruines soit stérile ou risible. Au contraire, d'ici peu j'espère être en mesure de faire une proposition irrésistible à Simone Lambert.

Il devait être vingt-trois heures lorsque Axelle arriva dans la grande salle du Linoleum où une rave devait avoir lieu. Une vingtaine de jeune gens circulaient avec des allures souriantes d'âmes perdues, puis sans prélude se mettaient à sautiller comme des engins mal huilés avant de retomber au point zéro d'une conversation, d'une série de questions et de réponses-hoquets virevoltant dans la partie sombre du désir et de l'intention.

Peu de chaises, quatre tourne-disques devant lesquels un jeune homme au crâne rasé s'affaire en grimaçant à chaque coup de paume et d'ongle. Un autre assis à une table de contrôle joue des coudes avant, arrière, avant-arrière, fait pisser des tonnes de lumière comme pour soudainement abreuver ce qui est maintenant devenu une véritable foule marchant sur une mer déchaînée. Axelle s'envole.

Danser : il n'y avait que cela au plus fort de sa solitude qui pouvait la relancer dans la pratique de la vie hors laboratoire. D'abord il y avait les orteils, les pieds, les chevilles, les mollets, les genoux, les cuisses, les hanches, le sexe, le ventre, la poitrine, les seins, les bras, les épaules, la gorge, la bouche ouverte, les joues roses, le nez grec, les yeux doux, les tempes lisses, le front intelligent, les cheveux si soyeux qu'on les eût caressés toute une nuit, puis venaient le crâne, le maxillaire inférieur, la trachée, les clavicules, les poumons, le cœur, l'estomac, le foie, le pancréas, les reins, le sacrum, les fémurs, ménisques, tibias, métatarses et l'ombre encore l'ombre des pas jusqu'à l'aube.

Elle me regarde avec une intensité qui me dissout dans la première lumière de l'aube. Son visage, monde vivide, je ne sais plus si j'existe dans un cliché ou si j'ai un jour existé dans la blancheur du matin devant cette femme aux gestes lents qui, ne me quittant pas des yeux, est allongée là devant moi, nue plus nue que la nuit, plus charnelle qu'une vie entière à caresser la beauté du monde. Soutenir son regard m'est douloureux. Je devine, je respire et je la devine encore. Quelques centimètres sous le manubrium luit un petit diamant qui semble tenir sur sa poitrine comme par miracle. Le diamant, sans doute retenu par un petit anneau fixé dans la chair, scintille comme une provocation, un objet de lumière qui guette le désir, happe l'autre. Je suis cette autre. Je suis l'émotion pure qui guette le destin tapi en cette femme. La femme offre son désir, sème en moi des phrases dont la syntaxe m'est inconnue et que je suis dans l'incapacité de suivre et de prononcer. Des mots sont là que je n'arrive pas à bien distinguer se*ins*, *ventr*e, bl*h*anch*c*, *s*tex*e* et entre eux, les lèvres de la femme remuent comme une eau de vie qui lave de tout cliché, promet que chaque empreinte du regard sera sexuelle sera répétée et fluide aussi vive que la lumière du matin qui absorbe les pensées les plus intimes. Ses bras sont ouverts. Elle s'offre à toutes les caresses qui, en langue maternelle, suspendent la réalité. La femme a tourné la tête légèrement de manière que sa gorge étonne. Il y a dans son regard des traces de cette eau qui, dit-on, jaillit quand la mémoire se fait verbe et relance le désir au bord des petites lèvres. Maintenant le regard de la femme s'engouffre dans le futur.

Parfois Simone se surprend en train de se comparer à la femme d'affaires et d'action, à la femme spirituelle et aguerrie aux intrigues que fut Marie de l'Incarnation. Elle est facilement touchée par la beauté du fleuve et des rives qui l'entourent. Tout comme Marie, elle sait éteindre des feux de malice et allumer des passions pleines de conséquences. Aucune patience cependant devant la bêtise et la cruauté qui constituent le tissu fin de notre humanité.

Hier encore, elle s'est arrêtée sur un événement qui n'avait pas retenu son attention lors de ses premières lectures. Depuis, les images du tremblement de terre de 1663 se sont frayées un chemin jusqu'en ses pensées : frayeur en forme de nœuds au cœur des poitrines et des gorges, éboulis, chutes d'eau, animaux devenus fous, bêtes blessées. Puis, en un tour de rien, cris et hurlements se sont déplacés vers Lisbonne en 1755, ensuite à Messine en 1783 ; alors la terre tremble à n'en plus finir jusqu'à ce que le silence revienne en alternance avec le bruit des pas de Simone Lambert marchant dans le froid blanc de la terrasse Dufferin. Une jeune femme l'accompagne, une étudiante en médecine du nom d'Alice Dumont. Les deux femmes marchent bras dessus bras dessous. Simone peut sentir contre son bras la poitrine d'Alice, malgré le manteau, malgré le froid, le vent qui pique les joues et fait couler les yeux en sorte que le fleuve et Lévis se trouvent coincés entre bruine, brumaille et brumasse. Alice dit : « Peu importe où nous sommes, dans cette ville, le sol se dérobe toujours sous mes pieds quand je suis à tes côtés. Un jour, il nous faudra partir. »

Il fait maintenant pénombre dans l'appartement de Simone Lambert. De l'autre côté du fleuve, Lévis s'allume lentement. Le tremblement de terre du 5 février 1663 s'éloigne comme un petit singe gambadant dans les ruines d'un théâtre grec, moment exquis de flottement, pense Simone, où le monde en reprenant forme nous oblige à penser eau, feu, terre et naissance. Eau, poussière, boue. Soir de pleine lune.

C'est étrange, dit Carla, que ma mère qui était pourtant une fille bien ordinaire ait pu, à partir de la remarque d'une petite maîtresse d'école de Rättvik, nourrir et faire vivre pendant des années l'histoire inventée de la mort de Descartes. Une histoire qui reste pour moi l'histoire vraie d'un homme blême, vêtu d'une jaquette blanche, respirant fort, toussant violemment pendant des secondes qui semblent une éternité. L'homme est laid et il faut un effort d'imagination pour le dire philosophe. Ses lèvres lippues sont entourées au nord d'une moustache et au sud d'une touffe de poils avec brin de gris que le mot « barbiche » ne saurait décrire. Il ressemble à un rat dont on aurait remplacé le gène responsable de la voracité par un autre responsable de la volonté. La laideur de l'homme est touchante, car celui qui cherche son dernier souffle allume tant d'interrogations et de sentiments contraires en nous qu'à elle seule sa présence nous émeut et force en nous la compassion. Le lit du mourant n'est pas appuyé au mur. Aussi les gens qui l'entourent peuvent-ils se mouvoir derrière le malade, l'observer ou sombrer dans une tristesse infinie sans que le penseur, dont les pensées sont déjà déformées par la fièvre, en soit conscient.

Autour de Descartes, une jeune femme nommée Hiljina que l'homme persiste à appeler Francine. La tête de l'homme s'enfonce dans un grand oreiller de broderie fine qu'Hiljina tapote sans arrêt afin de lui redonner son volume initial. Chacun de ses pas autour du lit fait craquer le plancher de bois sombre. Sur une table de chevet comme on en voit souvent dans les peintures du temps, un pot d'eau, des linges mouillés dont se sert Hiljina pour humecter la bouche de papa, pardon de Descartes. Ainsi que son front et son cou où on aperçoit très distinctement la veine jugulaire devenue bleue comme un petit serpent d'abord surprenant puis si obsédant que je ne le quitte plus du regard.

Dans son récit, ma mère donnait souvent la parole à une voix qu'elle disait intérieure et qu'elle imitait en suédois. La voix intérieure pouvait seulement parler au nom d'Hiljina ou de Monsieur Descartes. Le cardinal quant à lui n'avait que quelques répliques à prononcer et quand venait son tour, ma mère préférait lire un passage qu'elle choisissait au hasard dans la Bible. Pour imiter la voix de mère imitant celle du cardinal, il fallait que je me pince le nez et que je lève la tête vers le ciel. Alors sortait de moi un son rare, équivoque et meurtri qui me faisait perdre pied dans la plaine au sud de Saskatoon.

Quand je lis les journaux, je fais attention de ne pas tomber dans le présent des fosses communes du quotidien. Quand l'ombre des mots étend son gris troublant sur les reportages innocents que je lis le matin en prenant mon café, je fais attention de m'éloigner des êtres nuisibles et bouchonnés qui minent l'histoire. Je prépare mes fiches, j'arrache de grands lambeaux de temps aux horloges. Je replace le présent dans ma vie comme on le fait des caresses dans la mémoire et des artefacts dans les musées.

Qu'est-ce que le présent si une partie de notre vie consiste à nous imaginer ailleurs, au passé ou demain? Je ne sais si je dois appeler présent ou nécessité la façon dont nous tressons les journées pour nous évader à la verticale, tantôt vers le bas avec un goût fort de débauche dans la bouche, tantôt vers le haut, une vieille idée de transcendance prête à tout embraser sur son passage.

Hier, j'ai décidé de modifier les dates sur les notices. Bien sûr, je ne ferai pas les choses à la légère. Il faudra que les dates restent plausibles.

Dans certains cas, je pourrai ajouter ou sous-
traire un siècle, dans d'autres cinq cents ans
suffiront. Plus on se rapprochera d'aujourd'hui,
plus ma marge d'erreur volontaire sera réduite.
Dans les galeries et les centres d'artistes, dix
ans d'erreur apparaîtra comme un chiffre suspect. Des modes, des croyances, des peurs qui
durent mille ans, puis deux cents, des objets
qui fonctionnent pendant quarante ans ou
un an, des drames médiatisés qui frôlent et
sillonnent nos vies pendant six mois, deux
semaines, un week-end. Jusqu'à ce fameux
quinze minutes de célébrité annoncé par
Warhol qui nivelle tout : les idiots, les héros,
les tueurs, les victimes, les vivants et les morts.
Faut-il être précis avec le nombre des années
comme avec le nombre des morts ? Combien
de morts faut-il pour qu'un accident soit dit
terrible ? Combien de morts dans une explosion pour que la pensée s'affole ?

Difficile à dire si à long terme mes « erreurs »
auront des conséquences dans la vie culturelle
et dans celle de mes employeurs. Je suis née en
1953 avec une odeur de pâté chinois et de
gomme baloune fichée au cœur de mon enfance.
Dix ans avant ou après auraient changé ma
vie. Je suis née dans un décor de ville avec du
bon jazz.

— Et le perroquet ?

— Plus tard. Sois patiente. Donc Descartes parle peu. Chacune de ses phrases est solennelle. Il parle en français. Je fais parler Hiljina en suédois même si ma mère raconte qu'elle est hollandaise. Le cardinal, lui, il parle latin. À dix ans, je connaissais l'existence de cette langue. Des élèves canadiennes-françaises m'en avaient parlé. Elles m'avaient même amenée à l'église : « coute lé ben y va parler latine ». Je choisis mes phrases pour le cardinal dans un dictionnaire Larousse où il y a des pages roses. Ainsi selon mon humeur, il dit : *non omnia possumus omnes* ou *medice, cura te ipsum* ou encore *non nova sed nove*. Dans le roman, c'est plus compliqué. J'ai tendance à superposer l'image du vieux prêtre et le portrait d'Innocent X peint par Francis Bacon en 1953. L'effet est terrible, le cardinal devient machiavélique. Pour jouer le rôle d'Hiljina, je mordille un morceau de foin, je place mes poings sur les hanches et je hoche la tête en regardant intensément vers l'horizon. Des quatre rôles, celui d'Hiljina est le plus difficile. Je ne sais jamais quoi dire. Je reste là, figée comme si j'avais peur que les mots déclenchent en moi une trop grande colère comme celle de maman quand elle se fâche contre papa et qu'elle fait débouler les mots. Un jour, j'ai décidé de changer le style de Descartes et de le faire parler normalement parce que je croyais que du même coup Hiljina serait plus naturelle et que je pourrais en profiter pour ajouter mon grain de sel sur le mariage et les enfants. Donc Descartes, il parle lentement, simplement comme un homme fatigué et heureux. Il tousse un peu. Je peux le faire parler comme ceci : « J'aimais me promener dans la Kalverstraat les jours de marché quand les bouchers arrivaient avec leurs quartiers de bœuf. Le bruit des charrettes. Il y en avait tant qu'on se serait cru en pleine fête du Mardi gras. On voyait tout l'intérieur des bêtes. Le sang, le gras, les côtes, des nerfs, des muscles, la couenne lisse des cochons. Les hommes s'interpellent en faisant des blagues. Les femmes secouent des linges au-dessus de la tête des marchands et des carcasses qui commencent à sentir fort » ou comme cela : *J'allais quasi chaque jour en la maison d'un boucher pour lui voir tuer des bêtes, et je faisais apporter de là en mon logis les parties que je voulais anatomiser.* Hiljina se tourne vers la fenêtre. Le cardinal regarde intensément le mur derrière le mourant.

Axelle vient d'envoyer un courriel à Simone. Des enfants jouent au ballon dans le parking. Leurs cris se mêlent au bruissement électrique de l'ordinateur. Au bruit de l'eau qui coule dans le bain. Chute d'eau. Chute des reins. Axelle marche nue dans le salon, portée par une énergie forte qui travaille à la hauteur du ventre et ressort par la bouche en petites phrases hachurées, jaspées de mots espagnols. Elle devait avoir dix ans quand sa mère l'a amenée pour la première fois en vacances à Cancun. Sortir de Mexico ne pourrait que leur faire du bien. Il y aurait de longues promenades le long de la mer avec ses ombres, ses violets et ses bleus transparents. Jeux de coquillages. Sur la plage une petite fille est allongée dans un coin en retrait. Un filet d'eau coule de sa bouche. Ses yeux sont fermés. Une femme souffle dans sa bouche et appuie fort sur sa poitrine en croisant les mains. Au bout de dix minutes, la fillette tousse, crache, s'étouffe à n'en plus finir devant Dieu et les hommes. Elle ouvre enfin les yeux. L'homme et la femme qui s'affairaient à la réanimer la retournent sur le côté, lui parlent, exigent d'elle des «oui je me sens mieux», se redressent soulagés. Les badauds s'en vont. Hébétée, Axelle continue à regarder cette enfant qui lui ressemble et qui a failli mourir. Elle a remarqué les lèvres violacées, un filet de bave sur la joue, le tremblement qui parcourt le corps de la tête aux pieds. Les bras flasques le long du corps. À l'école, Axelle mémorise facilement le nom des os, des muscles et des organes vitaux. Dans le microscope que sa grand-mère lui a envoyé, elle aime regarder les cellules s'enlacer, se fondre l'une dans l'autre comme des bulles de savon. Elle se demande si on peut comparer le corps humain à une machine. «Ceci est mon corps», dit-elle le soir en se promenant nue devant le miroir. Ceci est mon corps. Demain, j'aurai perdu quelques cellules en forme de petites pellicules endormies sur mon oreiller.

De Cancun, elle se souvient de la longue journée passée à Chichén Itza. Le guide qui répète comme un taré *Chicken and Pizza* pour faire rire les touristes. L'immense trou où l'on jetait des vierges vivantes en offrande à Kukulcan. Peu lui importe que l'observatoire soit génial, et la pyramide majestueuse, les yeux d'Axelle ne quittent pas cet immense cratère d'homme. Le corps des vierges tombe, tombe encore. Les mains du prêtre plongent dans la poitrine d'une jeune fille et en ressortent rouges et luisantes avec le cœur encore palpitant de l'enfant. L'intérieur du corps se révèle. Le corps est ce que l'on voit. Le corps n'est pas ce que l'on pense.

Chute d'eau. Axelle demandera à Simone de l'amener voir les chutes Montmorency dans une semaine, deux peut-être. Le corps, pense Axelle en entrant dans le bain, sera ce joyau qu'elle et ses collègues offriront de modifier au nom de la santé, de l'esthétique, de la reproduction, de la conservation. Le corps s'adaptera aux petits plaisirs commerciaux de l'éternité recommencée comme il a su, au fil des siècles, s'adapter aux violences et aux privations commandées par les fous de Dieu.

Cette année, mai est un mois bien sculpté dans la chaleur. Aussi, je donne parfois rendez-vous à Carla près de la tour Martello. Nous nous assoyons toujours sur le même banc isolé qui fait face au fleuve. Il nous arrive aussi de louer une auto et nous allons jusqu'au cap Tourmente ou à l'île d'Orléans où nous pique-niquons. D'autres fois, requin, sanglier, poivre rose et asperges de l'île se transforment en sournois plaisir de la table dans une auberge.

Selon que nous sommes au Clarendon ou en plein air, Carla parle différemment. Devant le fleuve, elle espace ses phrases comme pour laisser passer le vent, le chant des oiseaux, l'écho de voix anciennes. Jamais un mot sur le roman. De temps à autre, elle lance une phrase du genre : c'est fou ce qu'il ne se passe rien de vraiment fâcheux dans nos vies. Parfois j'ose une question en espérant qu'elle nous ramènera sur le sentier du roman.

— Tu savais que le corps de Descartes a été inhumé au « cimetière des enfants morts sans baptême ou avant l'âge de raison » ?

— Oui. Tu savais que ses restes reposent à Paris dans l'église Saint-Germain-des-Prés?

— Non.

— Au fait, comment s'appelle le petit cimetière dans la rue Saint-Jean?

— Tu veux dire le parc à côté du Ballon Rouge?

— Non, le cimetière à côte d'une église anglicane.

— C'est maintenant un parc. Saint Matthews. Du même nom que l'église. Le dimanche, en été, il y a plein d'enfants qui s'amusent autour des tombes.

— Hier, quelqu'un m'a raconté une histoire incroyable au sujet du perroquet de Jean Cocteau.

— Cocteau avait un perroquet?

— C'est ce qu'on dit.

Depuis le début de la journée, le musée est la scène d'un va-et-vient continu d'artistes, de traiteurs et de techniciens. Ce soir, le hall d'entrée accueillera deux cents invités pour le lancement d'une campagne en faveur des Droits de la personne. On a invité des politiciens, des gens d'affaires, quelques universitaires, des journalistes évidemment.

Dans son bureau Simone vient de lire le message d'Axelle. La déception court sur son visage comme une ombre matinale. Devant la fenêtre, la lumière fait la folle sur le mobilier à cause du vent dans les feuilles.

— Elle te fait marcher, c'est certain. Tu ne peux quand même pas rester en *stand-by* pour elle, dit Fabrice. Imagine avec tout le travail qui nous attend. Il faudrait vraiment que tu ailles en Italie. Trois jours à Venise, trois jours à Rome à négocier avec le cardinal Toffga et tu reviens à temps pour l'exposition : *Cuillères à répondre et bonnes fourchettes*. De mon côté, je passe par Leipzig et Weimar. Croquis, carnets et manuscrits de voyage, tu les auras tous, je te le promets, puis je te retrouve à Rome pour la négociation. D'accord?

Simone regarde Fabrice attentivement, sourit, demande si on a reconfirmé la présence du premier ministre pour ce soir. Simone pense à Lorraine qui n'avait jamais su parler des politiciens et des policiers autrement qu'en utilisant des noms d'animaux, de légumes et un nombre impressionnant de jurons. Les temps changeaient. Les politiciens avaient de moins en moins de pouvoir. Ils en auraient encore moins dans vingt ans. Le monde change. Rien de mieux qu'un musée pour en faire la preuve. Et une banque de conservateurs à qui se fier.

Hier, nous avons cherché et trouvé la maison de Gabrielle Roy à Petite-Rivière-Saint-François. La maison est temporairement habitée par une jeune romancière. Carla lui pose quelques questions et dit qu'elle vient de la Saskatchewan, aussi appelée *The Land of living skies* à cause des orages si fascinants qu'ils troublent parfois l'esprit de certains au point de les inciter à rompre avec leur famille. Les propos de Carla semblent intéresser la jeune femme et, au bout d'un moment, elle nous invite à prendre un verre. (*Description de la pièce de séjour*) La romancière s'étonne que Carla qui écrit en anglais soit venue terminer ses quatre romans à Québec. Carla répond qu'il y a belle lurette qu'elle lit Marie de l'Incarnation, Anne Hébert et Alain Grandbois ainsi que les beaux livres d'un poète de la région qui écrit sur les oiseaux. Puis, les deux femmes parlent de célibat, de la Deuxième Guerre mondiale. Le père de la jeune femme était militaire de carrière. Un de ses oncles était farouchement opposé à la conscription. Le père et l'oncle se sont presque entretués. Drame familial pour drame familial,

Carla parle de l'adoption, en 1935, d'une loi suédoise sur la stérilisation qui contraignait les personnes souffrant de maladie héréditaire à se faire stériliser. L'après-midi avance. L'une après l'autre, les romancières se jettent des dés de hasard, lancent pêle-mêle des noms dans la pénombre qui s'installe, des noms qui font plaisir : Greta Garbo, Anne Hébert, Ingmar Bergman, Alain Grandbois, Selma Lagerlöf, Paul-Emile Borduas, Pär Lagerkvist, Anne Trister, Fanny et Alexandre. Pendant que chacune tente d'instruire l'autre de sa culture et du feu intérieur qui la nourrit, je fais remarquer à Carla qu'elle pourrait quand même mentionner quelques écrivains canadiens. Logique oblige. Rien n'y fait, elles poursuivent leur conversation comme si elles se connaissaient depuis toujours, comme si je n'existais pas. Je ne m'en offusque pas. Je prends le temps d'observer le visage de Carla. Quand maman est morte, je connaissais par cœur chacun des traits de son visage. C'est fou ce que nous ne regardons jamais les visages en parlant avec les gens. Comme si, à force de ne pas trop regarder dans les yeux ou d'avoir l'air de ne pas vouloir nous immiscer dans les pensées de l'autre, on finissait par ne rien voir. Maman, elle ne pouvait pas se défendre. Tout son visage était offert à mon regard inquiet qui découvrait la courbe de son nez, celles des sourcils, des cils si courts, des rides moins profondes que je ne le croyais.

Carla a la beauté fébrile et intelligente d'une femme toujours aux aguets, pour qui les gens et les mots doivent recevoir beaucoup d'attention. Si elle le pouvait, elle recyclerait chacune des vies qui l'entourent de manière à leur épargner les conséquences de leurs erreurs et de leur inexpérience. Aujourd'hui, elle est particulièrement en forme, excitée on dirait par la jeune romancière native du lac Saint-Jean, une région que Carla ne connaît pas et qui suscite sa curiosité au point de la rendre indiscrète. Avant notre départ, la romancière nous montre un exemplaire de la première édition de *Bonheur d'occasion*. Carla la feuillette attentivement comme si elle allait trouver des billets de cent dollars entre les pages ou des petits mots intimes ayant servi de marqueur. Au retour, Carla ne dit mot. Songeuse. Ailleurs.

— Descartes est assis dans son lit. Il parle doucement. Chacun des mots qu'il prononce est parfaitement audible dans la pénombre. Il ne délire pas encore. Cela viendra. Plus tard, entre trois heures trente et trois heures quarante-cinq. À quatre heures, tout sera terminé. Il fait froid dans la chambre. Hier, il a neigé sans arrêt. Une petite neige qui traverse à l'oblique devant l'œil et le distrait suffisamment pour qu'il s'imprègne de sa blancheur douce. Hier, Descartes a regardé cette neige tomber. D'abord derrière la fenêtre, puis les flocons ont commencé à virevolter au-dessus de son lit. Il frissonne. Il n'arrive pas à garder ses paupières ouvertes plus de trente secondes à la fois. Alors il s'abandonne à la fraîcheur de chaque flocon sur son visage. Un petit pincement froid, puis il sent sur sa peau la transformation du cristal de givre en gouttes d'eau. Maintenant il parle à une dénommée Francine. Il l'appelle aussi mon enfant, ma précieuse, ma petite Frantsintze. Allongée sur le dos dans le champ, moi aussi, je préfère prononcer : Frantsintze. L'effet est meilleur il me semble.

Les syllabes vibrent mieux dans l'air frais d'automne. Frantsintze, apporte-moi de l'eau (*en suédois dans le texte*). Puis les mots s'épaississent dans ma bouche et le Descartes de maman dit : «*Jag förstar inte*. Pourquoi nous as-tu quittés si jeune, ta mère et moi ? Au moment où tu deviens ma fille, où je te reconnais enfin comme ma petite fille, voilà que Dieu te réclame. » À ce moment précis, je fais toujours intervenir le cardinal : *sustine et abstine*.

Ne pas bouger quand je fais parler le cardinal est ce qu'il y a de plus difficile. Même quand je joue le rôle en plein soleil. Ne pas bouger est synonyme de pénombre et de privation de lumière. Papa a toujours dit que vivre dans la pénombre est une chose naturelle pour les Suédois, qu'ils ont l'habitude de la nuit même s'ils jouissent de la lumière du jour presque toute la journée durant les mois d'été. Chaque fois que le cardinal parle dans mon roman, il ravive l'image de ce portrait d'Innocent X dont je t'ai parlé l'autre jour. Bacon s'est inspiré d'une toile de Vélasquez datant de 1650. C'est la bouche surtout qui m'angoisse. Une bouche difforme. Une mutilation soigneuse du sens de la vie. Cette bouche me hante. Bouche de femme à qui on a crevé un œil.

Le roman de Carla occupe de plus en plus d'espace entre nous, nous éloigne l'une de l'autre. Nous rapproche. Comme si la fiction servait de tampon, absorbait le silence de maman, la blessure de son père et l'histoire inventée de sa mère. Ce qui était au commencement un plaisir innocent de langue parlée se transforme au fil de nos rencontres en attirance, en béance érotico-sémantique que nous nous empresserons de combler à la prochaine conversation à l'aide de points de repère faciles comme le lit, la fenêtre ou l'oreiller où repose la tête de Descartes. Chaque rencontre bouscule le sens du roman de Carla. Elle le renouvelle à son insu. Ici même dans le bar du Clarendon, dans ce que Carla appelle le mystère d'une ville qui donne des idées sur le continent, son roman nous arrache à l'histoire, à la temporalité tranquille des clochers et des couvents.

Hier, elle m'a proposé de lire quelques pages de son manuscrit. J'ai refusé. Elle a insisté en disant qu'elle faisait ça pour que je pense à elle plus souvent. Pour qu'une saine confusion s'installe en moi, que j'hésite entre son visage et celui de la petite actrice allongée dans l'herbe de la Saskatchewan. Elle voudrait que je partage avec elle quelques-unes de ses peurs et paniques, des fantaisies où l'Amérique se disloque et se refait dans les yeux d'une fille des plaines qui se prend pour René Descartes et qui, à cause de ce miroir-là, apprend le français en espérant perdre le style *still canadian* qui n'est pas à la hauteur de ses aspirations.

Qui suis-je pour juger Carla ou de la naïveté qui lui fait écrire encore un autre roman ? Qui suis-je pour trouver cela bien peu malin d'avoir à se rabattre sur un aussi petit filon de vie que celui de l'enfance rgar'd, rga'rd par là c'est moi ! J'ai toujours envie de lui dire : qu'est-ce que tu crois qu'elle ressent, ta mère, quand elle parle de Rättvik, quand le visage de la reine Cristina se confond avec celui des femmes du village ? Vraiment, qu'est-ce que tu vois quand les nuages passent au-dessus de ton père titubant au milieu du *highway* ? À quoi penses-tu quand tu remontes dans ta chambre après une de nos conversations ? T'arrive-t-il de vouloir me faire une place dans ton roman ?

Elle me regarde avec une intensité qui me dissout dans la première lumière de l'aube. Son visage, monde vivide, je ne sais plus si j'existe dans un cliché ou si j'ai un jour existé dans la blancheur du matin devant cette femme aux gestes lents qui, ne me quittant pas des yeux, est allongée là devant moi, nue plus nue que la nuit, plus charnelle qu'une vie entière à caresser la beauté du monde. Soutenir son regard m'est douloureux. Je devine, je respire et je la devine encore. Quelques centimètres sous le manubrium luit un petit diamant qui semble tenir sur sa poitrine comme par miracle. Le diamant, sans doute retenu par un petit anneau fixé dans la chair, scintille comme une provocation, un objet de lumière qui guette le désir, happe l'autre. Je suis cette autre. Je suis l'émotion pure qui guette le destin tapi en cette femme. La femme offre son désir, sème en moi des phrases dont la syntaxe m'est inconnue et que je suis dans l'incapacité de suivre et de prononcer. Des mots sont là que je n'arrive pas à bien distinguer se*ins*, *vent*re, bl*hanc*he, s*t*exe et entre eux, les lèvres de la femme remuent comme une eau de vie qui lave de tout cliché, promet que chaque empreinte du regard sera sexuelle sera répétée et fluide aussi vive que la lumière du matin qui absorbe les pensées les plus intimes. Ses bras sont ouverts. Elle s'offre à toutes les caresses qui, en langue maternelle, suspendent la réalité. La femme a tourné la tête légèrement de manière que sa gorge étonne. Il y a dans son regard des traces de cette eau qui, dit-on, jaillit quand la mémoire se fait verbe et relance le désir au bord des petites lèvres. Maintenant le regard de la femme s'engouffre dans le futur.

Tout ce qui est réel me dévore. J'ai beau laper mes contradictions avec énergie, habiter la vie et son contraire m'épuise. Tout autour de moi, chacun parle de sa vision du monde. Dire son opinion est une activité fort répandue qui renforce l'idée que la vie est un grand spectacle où le bien et le mal se rencontrent en faisant semblant de ne pas se reconnaître. L'autre jour, j'ai demandé à Carla si la lucidité avait une fonction dans la vie de tous les jours ou si son usage était à prescrire seulement à certains moments de l'existence. Aussi, si on pouvait la cultiver ou si c'était quelque chose d'inné dont on ne pouvait pas se débarrasser. Qui collait à la peau, à la cornée, voire même aux mots qui nous aident à exister dans le vaste paysage des émotions et de l'idée que l'on se fait de la souffrance, du bien et du mal, du mensonge.

Étudiante à l'université, je pensais que la lucidité était ce qu'il y avait de plus précieux pour quiconque prétendait être responsable de sa vie et intervenir dans les affaires de la cité au nom de la justice et du respect de tous. La lucidité était alors composée du désir de bien faire à partir d'un certain nombre d'informations qui, une fois analysées, permettaient de juger les politiciens et les lois dont ils accablaient souvent le peuple. Être lucide ne donnait pas le droit de se moquer des gens qui ne l'étaient pas. Être lucide signifiait avoir en main des éléments de preuves pour lutter contre l'oppression et l'aliénation. La lucidité étant un instrument de libération, il était normal de vouloir la partager avec tous ceux et celles qui pourraient en profiter. Aujourd'hui nous sommes plusieurs à nous dire lucides, à pouvoir correctement juger du bien et du mal, pourtant rien ne résulte de cet amas de consciences juxtaposées, chacun étant flanqué d'une solitude impeccable, et d'un *à tout prendre pour soi* qui semble toujours être le résultat de circonstances atténuantes. Aujourd'hui, une partie de l'âme seulement nous émeut, ignorante et *smiling*. Une toute petite partie d'âme que nous portons comme un révolver à la hanche et que nous dégainons rapidement au nom de notre individualisme sans horizon.

Masturbation ; (*1580- Montaigne*). *Du latin. Manu (main) et stupratio (action de souiller) : pratique qui consiste à provoquer le plaisir sexuel (par l'excitation manuelle des parties génitales)*

Hier en rentrant d'une soirée avec deux secrétaires, une chimiste et une avocate, Axelle s'est perdue entre Sainte-Anne-de-Bellevue et l'île Bizard. À sa grande surprise, elle s'est retrouvée sur une route de campagne, puis dans les rues non pavées d'un complexe domiciliaire en construction où elle a tourné en rond pendant dix minutes avant de repérer l'éclairage blafard de l'autoroute. Elle a roulé vite pendant un moment jusqu'à ce qu'une voiture la dépasse dangereusement. La voiture a filé, les phares ont disparu dans le noir. Contre tout bon sens, Axelle Carnavale a rangé la voiture sur la voie de service, a éteint les phares, verrouillé les portes, levé sa jupe et pensé à la petite édition rose de *Thérèse et Isabelle*.

Le livre traîne sur une pile de dossiers que sa mère lui a interdit de toucher. Toucher, c'est déplacer et après il est difficile de s'y retrouver. Ce soir, Lorraine participe à *una mesa rotonda* en compagnie d'un sociologue, d'une bibliothécaire de Coyoacan et d'une romancière qui vient de publier un essai sur Sor Juana Inès de la Cruz. Il fait chaud. Axelle est seule à la maison. Elle se promène comme une âme en peine dans le salon. Un mauvais geste et le livre de Violette Leduc tombe au milieu des dossiers : *Je me détachais de mon squelette, je flottais sur ma poussière. Le plaisir fut d'abord rigide, difficile à soutenir. La visite commença dans un pied, elle se poursuivit dans la chair redevenue candide. Nous avons oublié notre doigt dans l'ancien monde, nous avons été béantes de lumière, nous avons eu une irruption de félicité. Nos jambes broyées de délices, nos entrailles illuminées...* C'est un petit livre rose d'environ dix-neuf centimètres de hauteur sur dix centimètres de largeur. Les pages ont été découpées avec soin. Aucun déchirement comme c'est souvent le cas quand on veut aller trop vite.

Axelle s'arrête sur certains mots. Beaucoup de corps. Quelque chose de vivant qui travaille sournoisement à projeter le corps dans un monde meilleur, plus charnel. Debout au milieu du salon, Axelle se promet de devenir une femme charnelle et de s'instruire longuement et méthodiquement sur le corps.

Descartes : Après ta mort, l'idée de la mer et de la plaine ne m'ont plus quitté. J'ai tout fait pour m'installer dans des villages à proximité de la mer. J'étais heureux dans le pays plat et quoique mon chagrin fût grand, j'ai poursuivi mon travail.

Le perroquet : d'la méditation, d'la méditation.

Descartes : Je ne sais pas ce qu'il est advenu de ta mère. Elle m'est apparue inconsolable, fragile. Elle a commencé à perdre ses beaux cheveux que j'aimais tant caresser.

Hiljina : Tu m'as chassée puis tu m'as tout simplement oubliée. Je sais que la mort de ton père quelques mois après celle de notre fille Francine te fut douloureuse. Sans pudeur, tu t'abandonnais alors à pleurer comme une femme. Je sais que tu as souffert mais il ne fallait pas me renvoyer comme un animal domestique.

Le perroquet : animax-machine, animaux-machistes, anima-malade.

Le cardinal : *Intelligenti pauca.*

Hiljina: Ah! vous, taisez-vous! Ordure inquisitrice.

Descartes: Hélène, je t'en prie, il faut viser à l'harmonie. Quand la reine Christine m'a demandé d'écrire un poème pour un ballet en l'honneur de la paix en Westphalie, je n'ai pas hésité à lui assurer ma collaboration et à mettre mes énergies à son service en faisant valoir la sagesse de Pallas. (*Se tournant avec difficulté vers Hiljina qu'il prend soudain pour Francine*) Tu étais une enfant qu'un rien amusait. Enfant, il me fallait des bateaux, des épées et le vent, mais comme toi, j'aimais aussi jouer avec rien, nier, rimer, mimer, noyer ma peine dans les mots et les cheveux de maman. J'aurais aimé, Francine, faire avec toi comme je le fais depuis un mois avec la reine Christine. Le matin, dès cinq heures, à la chandelle, parfois en regardant la neige accumulée en forme de dos de chameau sous ma fenêtre, je t'aurais entretenue des passions qui nous gouvernent et de phénomènes qui, bien que simples, nous entraînent à notre insu dans des labyrinthes dont il nous est par la suite difficile de sortir dignement. Ainsi l'apparition dans nos vies d'une passion troublante mais simple suscite-t-elle en nous le juste paysage de l'harmonie.

Sans hésiter, Simone Lambert s'est dirigée vers l'embarcadère où des bateaux font la navette entre l'aéroport Marco Polo et la place Saint-Marc. Une heure quarante d'un plaisir qui consiste, le regard embrouillé par la fatigue du *jet lag* et follement sollicité par le plein soleil de mer, à s'installer dans une langueur tropicale. Au début, l'embarcation file comme sur un chemin de campagne dans un corridor libre d'algues et de hautes herbes. De chaque côté, des gens penchés comme dans une toile de Millet recueillent des moules. À Murano et au Lido, des passagers montent, d'autres descendent ; la mer s'élargit, sillonnée sans répit à bâbord et à tribord de bateaux de croisière et de *motoscafi*. Le soleil installe sa lumière vive. Une chaleur forte embrouille l'horizon jusqu'à ce que, émergeant de l'eau comme un mirage, la Sérénissime révèle ses formes les plus attendues : le campanile, les dômes de la Salute et de San Giorgio Maggiore. Alors la fatigue du voyage se dissipe. Le temps déroule son tapis entre la mer et une vague idée de l'immensité que les rêves transforment si facilement en surface flexible, capable de renouveler les mœurs et d'embellir les récits. La Sérénissime précipite tout. Les siècles défilent. Jusqu'à ce que le bateau accoste, Simone aura marché coude à coude avec les artistes et les savants de la Renaissance. Oubliant la condamnation qui pèse sur son sexe, elle aura fait preuve d'esprit en chacun de ses échanges imaginaires avec les marchands, les militaires et les hommes de Dieu.

Campo Santa Maria Formosa, c'est l'heure de la sieste. La place est tranquille. La chaleur intense. À côté de l'hôtel Scandinavia, le bar de l'Orologio est ouvert. Simone entre et commande un espresso. La patronne la reconnaît. Elle est contente de la revoir. Une partie du plaisir de vivre dépend de la joie que les autres manifestent à nous revoir, pense Simone. C'est simple et efficace. Les languettes de plastique aux couleurs variées qui pendent dans le cadre de la porte lui font penser à la Monica Vitti de *l'Avventura*. Simone sait qu'il est facile d'avoir peur que tout soit trop beau. Facile de s'agiter à vide en espérant que chaque instant sera plein, entièrement voué à mieux comprendre la vie et à en jouir. Bien. Elle enfile son café, traverse les quelques mètres qui la séparent de l'hôtel. À la réception, elle remplit une fiche bleue, demande qu'on la réveille dans deux heures.

Axelle dépose sur son bureau la carte postale oblitérée au nom de Venise : un lion ailé sur fond bleu semé d'étoiles ainsi que la colonne de saint Théodore et celle de saint Marc avec son lion de trois tonnes. Au dos de la carte, une date, trois lignes, une signature à l'encre mauve. La première phrase et la deuxième sont entre guillemets, écrites en lettres moulées : «Ainsi, de pont en pont, en parlant d'autres choses... nous avancions.../ Lors m'étreignit l'amour du lieu natal.» Au-dessus de la signature «À bientôt. Je t'embrasse». Le timbre, sans doute choisi intentionnellement, représente une page manuscrite des *Quaderni del carcere* d'Antonio Gramsci.

Enfant, Axelle regardait les lions avec fascination. Assise devant le téléviseur, elle observait chacun de leur muscle et quand l'image était au ralenti, elle pénétrait dans leur regard comme si celui-ci avait été une porte ouverte sur un monde qu'elle aurait, si elle en avait eu le vocabulaire, instinctivement déclaré horriblement féroce et nostalgique. En peluche ou en plastique, le roi de la jungle était à ses yeux un allié, un grognon sympathique. Sa mère avait vite fait de la détourner d'une telle opinion en lui parlant des lions mercenaires qui se jetaient férocement sur les premiers chrétiens. Quant à son père, il lui avait conseillé de se tenir loin des lions de pierre et de bronze, de marbre et de granite qui faisaient le guet devant les banques, les musées et les gares au nom de l'empire britannique qui sévissait au sein de Montréal. Peu à peu, les lions de marbre avaient fait place au félin rugissant de la Metro Goldwyn Mayer, puis aux lions design de Peugeot et de la Banque royale. Aujourd'hui encore, c'est avec une émotion toute particulière qu'Axelle revoit Patience et Force d'âme poser noblement à l'entrée de la New York Public Library.

Un dernier coup d'œil à la carte. Peter Workhard apparaît dans le cadre de la porte. Il est sur le point d'entrer lorsque son cellulaire le rappelle à l'ordre. D'un haussement d'épaules et d'une petite moue, il fait signe d'adieu. Axelle se demande qui est l'auteur des citations, pense que chercher la réponse, c'est comme chercher une aiguille dans une botte de foin. Et qui sait, après tout, ce n'est peut-être pas une citation mais tout simplement une pensée juste qui a traversé l'esprit de Simone et sur laquelle elle a cru bon d'attirer l'attention en ajoutant des guillemets.

Simone Lambert absente pour une semaine, j'éprouve un indicible ennui à circuler dans les salles du musée et les corridors de la maison Estèbe. J'ai annulé deux rendez-vous avec Carla comme s'il y avait un rapport entre le fait d'être privée de la présence de Simone et celui de jouir de la conversation avec Carla Carlson, romancière. Il pleut depuis deux jours. Devant le Parlement, l'herbe est d'un vert tropical qui donne envie d'être ailleurs et de lectures particulières. Malgré la pluie, je préfère rentrer à la maison à pied. À part les gens du musée, je ne vois personne sauf deux tatouées rares avec qui je jase à la taverne Dion avant de rentrer à l'appartement. Je relis mes notes sur les ruines artificielles. Je pense ajouter une série de photos prises à Tchernobyl, à Minsk et le long du Pripiat. Des photos d'usines et de trains se décomposant dans de vastes champs fécondés par la mort. Aussi des photos de navires et de destroyers abandonnés à la rouille, au sel et à leurs propres sécrétions. Des barils de dioxine, de matière radioactive. Les ruines contemporaines sont des monstres lents qui n'en sont pas moins féroces. Ruines allongées comme de jeunes déchets qui font acte de blessure en nous rappelant, bien au-delà de *tempus fugit*, que l'abandon est une désertion du sens. Les ruines contemporaines sont à nos pensées ce que la corrosion est aux matières premières, elles déposent en nous des images d'abandon qui contaminent à tout jamais notre sens de la durée. Enfants abandonnés. Roman abandonné. Elles sont fort utiles pour nourrir nos contradictions. Elles ne sont utiles en rien à l'art; et pourtant je ne manquerai pas de les utiliser pour convaincre Simone Lambert de me confier une exposition que j'intitulerai *Ruines : temps mort, temps fort du désir.*

Le *vaporetto* est plein à craquer d'amateurs d'art, de galeristes, de critiques, d'artistes. Peu de gens descendent à l'Arsenale. À Giardini, les passagers s'engouffrent dans les jardins et les petits sentiers de gravier qui mènent à la Biennale et à ses pavillons. Simone se dirige tout droit vers le pavillon canadien, accepte un verre de *prosecco* tout en bavardant avec l'artiste élu pour représenter son pays. Après deux verres, elle décide d'aller saluer ses amis des pavillons français, anglais et allemand qui voisinent celui du Canada. L'odeur de la peinture fraîche des installations mêlée à la poussière des sentiers que le vent soulève forment un étrange cocktail kinesthésique qui, en se mêlant à la fatigue du voyage, incite Simone à l'abandon, à une détente sans nom. À Venise, mais tout particulièrement en ce lieu de célébration contemporaine, Simone se sent souverainement libre, au faîte de sa sensibilité. Ici, elle redevient l'amante d'Alice Dumont, une femme passionnée dont le corps vibre au moindre contact, fût-il celui du vent sur sa nuque. Après toutes ces années, les images affluent encore, nombreuses, vagues ici, bien découpées aux endroits les plus sensibles de la mémoire.

Sans s'en rendre compte, Simone bouge avec des gestes tout en rondeur et finesse. Les snobs et les amateurs qui l'entourent ne la gênent pas. Elle peut, à ce moment précis de bien-être, faire feu de tout : œillade vlimeuse, sourire en coin, mains molles, accolades d'éléphant. Ainsi va son entrain jusqu'à ce qu'à quelques mètres d'elle un homme se détache des autres, vêtu de noir, les cheveux rassemblés derrière la nuque en une queue de cheval, les épaules larges. L'homme a vieilli, mais il a conservé un air de contre-culture et de marxiste abonné à l'histoire. C'est la dernière personne à avoir été vue en compagnie de Lorraine avant sa disparition. Debout, un verre de vin à la main, l'homme marche dans une poudre rouge qui jonche le sol du pavillon américain où Ann Hamilton propose sa plus récente installation. Comme un gaz, une fumée de la même poudre s'échappe du plafond, rigole en de minces filets écarlates sur la blancheur des murs. Au sol, la petite horreur colle aux semelles et rougit le pas des visiteurs.

Il fut un temps où leurs lectures se croisaient comme des pas de tango. Simone lisait certains livres uniquement pour pouvoir en recommander la lecture à sa fille. De son côté, Lorraine lisait des auteurs qu'elle qualifiait d'innocents pour le simple plaisir d'en parler avec sa mère. Plus tard, elles s'adonnèrent au même manège, cette fois-ci en fréquentant les musées et les galeries. Simone proposait des œuvres majeures et grandioses, Lorraine faisait valoir de jeunes artistes dont les œuvres et les interventions crachaient le feu. L'une parlait d'inspiration et de talent, l'autre de courage et de lucidité. Ce manège dura un certain temps avec bonheur jusqu'au jour où Lorraine quitta la maison sans explication pour aller s'installer dans un loft du Vieux-Montréal. Simone travaillait alors au service des acquisitions en art pour une multinationale. Elle était dévastée par le sentiment d'abandon et de rejet que l'éloignement de Lorraine lui faisait vivre. Elle créait des occasions pour la revoir, prétextant avoir besoin de son opinion sur tel ou tel jeune artiste. Elle l'invitait à des vernissages où l'alcool et les projets coulaient abondamment. Partout, il y avait des halls, des salles, des édifices à inaugurer dans un Montréal que l'on démolissait et reconstruisait, scotch aux lèvres pour les uns, pancartes à la main pour les autres. Lorraine lui présenta Alexandre Carnavale, un jeune peintre marxiste-léniniste au verbe facile. Neuf mois plus tard, une fille naquit qu'ils appelèrent Axelle en l'honneur du patineur suédois Axel Polsen et en pensant à l'axe de révolution qui sommeille en chaque nouveau-né, fût-il une fille.

Je m'installe peu à peu dans un vertige qui, pour une raison que je ne peux expliquer, me tient à distance du roman de Carla. Longtemps, j'ai cru qu'il était bon de faire entrer de la fiction dans une vie. Que cela permettait de recadrer l'existence, de déployer des paysages d'allure si étonnante qu'on ne pouvait s'empêcher par la suite d'aimer les gestes et les objets les plus quotidiens; car une fois que la fiction les avait traversés de son éclat kaléidoscopique, tout cela qui était la réalité brillait de mille feux intrigants. La fiction était mon point d'appui pour toucher à la lumière. Je savais comment la faire entrer dans ma vie comme d'autres font entrer le sexe, la violence ou la gastronomie dans leurs pensées. À vrai dire, j'accorde une importance démesurée à la fiction parce que j'arrive tout naturellement à décomposer les émotions, les mots et les sensations qui accentuent le devoir d'existence. C'est comme dérouler un tapis sous les yeux d'un aveugle. Pendant que l'aveugle s'arrange avec le son étouffé de la laine sur le sol, je prends possession de chacun des mouvements de son visage. J'entre dans ce qui l'aveugle, en ne perdant pas de vue le tapis et ses pointes de diamant toujours plus rouges que le sang. Parfois, j'arrive à entendre le son que font les doigts d'enfant sur le cordage des métiers à tisser.

Aujourd'hui, je simplifie tout, je dis « tiens, il n'y a pas de nuages mauves », et en quelques pensées, je fais le tour du monde comme Simone fait ses tours de civilisation qui l'obligent à palper des os et des armes à longueur de projet. Il m'arrive en écoutant Carla de vouloir l'embrasser sur la bouche. De mouler mes lèvres aux mots qu'elle prononce.

Elle me regarde avec une intensité qui me dissout dans la première lumière de l'aube. Son visage, monde vivide, je ne sais plus si j'existe dans un cliché ou si j'ai un jour existé dans la blancheur du matin devant cette femme aux gestes lents qui, ne me quittant pas des yeux, est allongée là devant moi, nue plus nue que la nuit, plus charnelle qu'une vie entière à caresser la beauté du monde. Soutenir son regard m'est douloureux. Je devine, je respire et je la devine encore. Quelques centimètres sous le manubrium luit un petit diamant qui semble tenir sur sa poitrine comme par miracle. Le diamant, sans doute retenu par un petit anneau fixé dans la chair, scintille comme une provocation, un objet de lumière qui guette le désir, happe l'autre. Je suis cette autre. Je suis l'émotion pure qui guette le destin tapi en cette femme. La femme offre son désir, sème en moi des phrases dont la syntaxe m'est inconnue et que je suis dans l'incapacité de suivre et de prononcer. Des mots sont là que je n'arrive pas à bien distinguer *seins*, *ventre*, *blhanche*, *sexe* et entre eux, les lèvres de la femme remuent comme une eau de vie qui lave de tout cliché, promet que chaque empreinte du regard sera sexuelle sera répétée et fluide aussi vive que la lumière du matin qui absorbe les pensées les plus intimes. Ses bras sont ouverts. Elle s'offre à toutes les caresses qui, en langue maternelle, suspendent la réalité. La femme a tourné la tête légèrement de manière que sa gorge étonne. Il y a dans son regard des traces de cette eau qui, dit-on, jaillit quand la mémoire se fait verbe et relance le désir au bord des petites lèvres. Maintenant le regard de la femme s'engouffre dans le futur.

Carla : Au chapitre 5, Descartes apprend l'arrestation de Galilée. Je luis fais dire : « J'ai eu peur. Et honte, car je venais de comprendre que ce serait trop risqué de publier le *Traité du monde et de la lumière*. Je ne voulais pas mourir prématurément sur un bûcher de l'Inquisition. Je n'étais pas un héros. La vérité pouvait attendre un éditeur encore quelques années. La honte est un sentiment que je n'avais jamais éprouvé, car jusqu'à ce jour mes actes et mes pensées avaient toujours été en harmonie. Lorsque nous avons à leur faire face, la violence et l'injustice donnent aux valeurs qui nous gouvernent une nouvelle configuration. »

La narratrice : Comment le cardinal réagit-il ?

Carla : Il ne réagit pas. C'est Hiljina qui intervient en parlant de culpabilité, du sens de l'honneur et du devoir. Pendant dix pages, elle donne des exemples de courage et de lâcheté. Peu à peu, je l'amène à parler de sa mère, une paysanne violée par le soldat inconnu de trois armées différentes.

La narratrice : Tu ne crois pas que tu exagères ?

Carla : C'était chose courante à l'époque. Et trois fois plutôt qu'une. Pourquoi crois-tu que les colons de la Nouvelle-France envoyaient leurs filles étudier chez les Ursulines? Tout simplement parce que c'était la meilleure façon d'éviter qu'elles ne soient violées avant leur mariage.

La narratrice : Je ne savais pas que tu t'intéressais à notre histoire.

Carla : Imagine ce qui m'arrive quand je mêle les mots Ohio, Detroit, Hochelaga et quelques noms d'animaux ou petits prénoms de gens blêmes vivant le long des autoroutes d'Amérique et de ses grands fleuves. Les histoires d'une même époque se ressemblent toutes à cause des outils et des technologies. La morale étant une technologie de l'esprit, elle aussi se répand partout en même temps. Le boom des fascismes, le boom des dictatures, le boom des intégrismes. Pour le meilleur et pour le pire, la morale suit le cours de la bourse et de la mode.

La joie, j'imagine qu'il faut la joie pour dévaler et remonter le grand escalier de bois entre la haute ville et la basse ville ou courir à toute vitesse dans les ruelles de Saint-Roch. J'imagine qu'il en faut beaucoup pour que le monde s'anime comme par magie dans son récit quotidien, pour que les gens soient contents de marcher dans la rue du Trésor, dans les corridors du Parlement, à la cafétéria de l'hôpital du Saint Sacrement. La joie, il en faut beaucoup pour faire semblant qu'on n'est pas un peuple mais juste du monde comme tout le monde, il en faut beaucoup pour étirer les bras vers l'avenir, les nouveaux concepts et de nouveaux complexes.

Depuis la mort de maman, je pense souvent à ceux et celles qui vont bientôt mourir. Ils ne sont pas encore malades, mais je sais qu'ils vont le devenir. C'est une façon de résumer la vie, en l'installant dans le cours des choses avec une joyeuse courbe statistique. On additionne, on soustrait. La ville se vide d'une génération, une autre s'installe, une troisième arrive déjà. Une image me revient souvent depuis un beau midi de mai quand maman vivait et que nous allions fêter son anniversaire dans une auberge sur le bord de la rivière Richelieu. Nous arrivions toujours pour le service de treize heures trente. Nous devions parfois attendre que les gens du premier service aient terminé. Je voyais des gens repus, bâillant, se préparant lentement à partir, à laisser leur place à de nouveaux arrivants joyeux, en appétit, n'aspirant qu'à bien boire et bien manger, copies conformes de ceux et de celles qui, maintenant sur le point de quitter l'endroit, avaient quelques heures auparavant pris place à des tables bien mises, consulté le menu avec entrain, commandé des plats et des vins appartenant encore au monde du virtuel et du désir. Maintenant, ils étaient tous assis devant une nappe tachée, des plats pleins de restes ou vides, des ustensiles éparpillés sur le rebord des assiettes. Dans quelques instants, nous nous assoirions heureux comme des coqs en pâte devant des nappes vierges, de jolis couverts, on nous remettrait des menus qui nous feraient saliver. Le maître d'hôtel, le sommelier, les serveuses répéteraient leurs mots de courtoisie, leurs explications séduisantes et leurs gestes aimables. Nous nous croirions les premiers venus, dignes d'attention et de respect. La première gorgée de vin nous convaincrait de notre immortalité.

J'imagine qu'il faut la joie à propos de tout pour s'engouffrer dans le temps et le laisser se refermer sur nous. Oui, il faut sans doute laisser

le temps avaler le silence et les récits multiformes qui nous entourent comme une haie
de roses.

Axelle les revoit, toutes ces images qui défilent au rythme de la circulation, lente mais fluide. Lorraine en train de choisir des légumes au marché, Lorraine au volant de sa vieille jeep et pestant contre la pollution, les motels-garages qui, prétend-elle, ralentissent le flot des voitures. Lorraine préparant de petits canapés, coupant des cubes de papaye pour une soirée de mobilisation au sujet de la disparition de deux femmes battues. Ma mère dans une réception au Bellas Artes. Ma mère et mon père au Congrès culturel de la Havane. Ma mère dans une petite robe de coton blanc devant un buste de José Martí, ma grand-mère devant la murale de Jordi Bonet à la Place-des-Arts. Mon père me tenant dans ses bras en pleurant un soir de référendum.

Les gens roulent plus vite qu'au New Jersey. Axelle n'arrive pas encore à décider si elle préfère les autoroutes, les discothèques et les laboratoires du Québec à ceux des États-Unis. Elle ne sait pas. Pour le moment, il y a tant d'images dans sa tête. Les journées sont trop courtes. Le passé récent, vaste comme le continent. Un mélange intrigant de végétation où les hibiscus et les tatous de Coyoacan se mélangent aux érables et aux écureuils de la Nouvelle-Angleterre. Un passé voyant comme les panneaux-réclames de Mexico et ceux des autoroutes entourant Princeton où on échange des promesses d'éternité à coup de *Coca-Cola siempre,* de *Coke always* et de *Jesus loves you.*

Qu'est-ce qu'une image du passé quand elle vous arrête, lève la main et dit avec autorité : on ne passe pas ? Faut-il la contourner en douceur, rebrousser chemin ou foncer vers elle à toute vitesse ? Axelle jette un coup d'œil dans le rétroviseur. Devant, le soleil s'étire, blême, attelé à de gros nuages en cavale. Deux heures et demie de route, puis ce sera la rencontre tant attendue avec Simone, la découverte de Québec. Une ville du Nord. Une ville de fonctionnaires, lui a-t-on souvent répété à Princeton. Une ville qu'elle n'a jamais vue et dont elle rêve depuis son enfance. Au loin, un ciel en chaleur. Vie de vitesse qui ne permet pas à Axelle de comprendre ce qui a pu la décider à revenir à Montréal ajouter, après toutes ces années, son accent étranger à des milliers d'autres. Jeune, conceptrice, *designer* en stérilité et clonage pour le meilleur et pour le pire de l'humanité. Ce soir, allons raper *like hell.*

Je tiens pour acquises la liberté de Carla, celle de Simone Lambert, la mienne. Il fait encore sombre. Une pluie dense s'abat sur la ville. Debout derrière les rideaux, j'écoute la violence de la pluie sur les toits, sur la ville. L'eau pénètre dans l'histoire, elle soulève la terre, la liste d'épicerie qu'une femme a laissée tomber en entrant rapidement dans une fruiterie. Le bruit de la pluie peut être terrifiant. L'eau qui emporte tout. Je tiens pour acquis la liberté de l'eau, la beauté du printemps, l'ombre des lilas hier, leur parfum. Je note et je m'enflamme à propos de ruines lointaines. Rue Racine, des rigoles forment de petits lacs sombres à l'endroit des nids-de-poule. La première année de mon arrivée à Québec, je n'arrivais pas à comprendre comment la neige pouvait rester là si longtemps, parfois jusqu'en mai. J'étais transie de gris. La surface rugueuse des pierres m'irritait. Maintenant, je suis imperméable à tout. Les quelques émotions que j'éprouve, bien qu'intenses, n'ont en rien le pouvoir de me clouer au rêve, je veux dire de m'immobiliser l'œil humide, larmoyante ou tremblante dans un état second proche du rêve ou de la fièvre.

Il y a de plus en plus de touristes en ville. Ici et là des bandes de jeunes tristes. Les jeunes tristes sont comme des ruines recouvertes par la végétation. La vie continue pendant qu'ils deviennent gris comme les pierres et leurs parents, kaki comme des tanks ou tout simplement invisibles. Il m'arrive d'avoir envie de leur parler, mais les jeunes tristes parlent peu. Ils regardent, restent debout de longues heures, s'assoient tout aussi longtemps, fument et jettent leurs mégots dans des canettes d'aluminium qu'ils écrasent d'une main s'ils en ont envie. Je tiens aussi pour acquise la liberté des jeunes tristes.

Nous sommes plusieurs à flirter avec cette chose dangereuse et désirable, une chaleur au bas du ventre, une force majeure capable de balayer les paysages statiques et paisibles du réel au profit de l'éternel recommencement du vent et de la soif.

Les jeunes tristes s'indignent en caressant leur chien et en essuyant leur canif. Je m'indigne de tenir notre liberté pour acquise. Depuis la mort de maman, ma violence est moins grande. Je m'applique à trouver de meilleures répliques à la douleur. Je les camoufle soigneusement dans les notices que je prépare pour le musée. J'aime ce camouflage qui ombrage les œuvres et ma vie.

Elle est sans doute rentrée hier. La porte de son bureau est entrouverte. Elle discute avec Fabrice Lacoste et sa secrétaire. J'aime la savoir de retour. Elle me demande d'entrer un instant. Je prends de ses nouvelles et je réponds à toutes les questions qu'on me pose. Écouter, scruter, observer. Ses mains, sa bouche, le front, la séquence des gestes. Je voudrais entrer dans la vie et les pensées de cette femme. Traverser aller-retour un quart de siècle avec elle, lui prendre la taille en marchant sur la terrasse Dufferin. Son bureau est jonché de petits objets qu'elle a rapportés de Venise : masques, plumes de verre, encriers, cahier de notes en cuir. Elle m'offre une plume en verre. Turquoise. Une plume, une turquoiserie. La bibliothécaire qui cumule aussi la fonction de directrice du programme d'animation se joint à nous. Simone lui offre un masque. Il y a de la bonne humeur dans l'air. Fabrice déploie ses talents de conteur et nous voilà, traversant la place Saint-Marc, allant à la rencontre de Casanova qui à son tour nous entraîne aussitôt vers le bar Florian où il devient encore plus charmant, moqueur, beau presque beau, parleur. Je regarde Simone Lambert. J'existe quelque part dans son regard mais je ne sais pas où, pour combien de temps. Je caresse ma turquoiserie. Casanova et la directrice du programme d'animation rient. Fabrice poursuit son récit de galant homme. « Changer de siècle, changer de sexe, changer de nom, tout changer dans une vie sans changer le verbe. » Le jeu en vaut sûrement la chandelle. Je souris en regardant Simone Lambert. « Je vous aime », Casanova, le disait-il souvent, en variant l'intonation? Derrière elle, un ciel bleu à soulever les meilleures passions. Maintenant, Fabrice raconte comment le hasard avait mis entre les mains du séducteur *La Mystique Cité de Dieu*, livre délirant de sœur Marie de Jésus dite d'Agreda. Simone l'interrompt en disant qu'à cette époque la fatalité mystique étendait son emprise sur quiconque avait le moindrement du caractère. La nuit de révélation était un *must*. Ainsi Descartes vécut son triple songe la nuit du 10 novembre 1619, Marie de l'Incarnation eut son matin de révélation le 24 mars 1620 et Pascal sa nuit d'extase et de feu le 23 novembre 1654. Besoin de mise en scène pour tourner les pages du calendrier.

Carla : Il faut laisser le temps circuler entre les personnages. Faire confiance malgré le risque des courants de mode et de pensée qui, trop violents, peuvent les prendre à la gorge, leur couper le souffle ou, trop légers, les isoler dans une douceur impropre à la fiction. Avec les années, j'en suis arrivée à penser que le roman n'est rien d'autre que du temps décomposé qui retombe sur nos épaules avec des allures de première neige et de poussières douces. D'où cette impression de se retrouver dans un décor composé des restes de sa propre violence, d'une douleur familière et ancienne qui, à ses moments de gloire, nous permettait de cracher la vérité, de cacher l'imperfection des heures jusqu'à ce qu'elles changent de configuration. J'ai toujours pensé que mon père voyait sa mère comme dans un film. Belle, douce et angoissée, une mèche sur son front. Une petite femme qui aimait la musique et qui désirait avoir plusieurs enfants. Quand il me parlait d'elle, il mimait son regard qu'il disait triste et accidenté comme ces routes qui suivent le contour des lacs au nord de Stockholm sans que l'on puisse apercevoir l'eau. Tout cela, il me l'a raconté alors que, jeune adulte, je buvais encore poliment ses paroles. Un jour, toi aussi, personne n'y échappe, tu me parleras de ta mère, de son visage, du temps où, jeune fille, elle désirait sans doute un futur. Un jour, tu me parleras de ton enfance, des premières rues de Montréal que tu as dû traverser seule pour te rendre à l'école. C'est fou de penser à quel point nos aspirations, nos frayeurs et nos goûts sont à la merci d'un événement selon qu'on naît dix ans avant ou après l'adoption d'une loi, la construction d'un métro, un cataclysme ou une découverte scientifique. Je suppose qu'il faut parler de tout quand on raconte une vie : des jouets, des autos, des robes, des chapeaux, des odeurs, des crimes, des samedis soir et des dimanches après-midi. De la musique qui enrobait tout cela qui valait la peine de se lever dans la lenteur bleue de chaque matin. Quand papa parlait de sa mère, il regardait devant lui comme au cinéma. Et à mon tour, je le voyais à l'écran, marchant de dos, allant sous la pluie, les mains dans les poches. Au fond de l'image, il y avait une rue et tout au fond de cette rue un grand miroir qui permettait d'éviter les collisions frontales. Feuillages fictifs, des formes mystérieuses ombrageaient le miroir. J'imaginais, je traduisais en mes propres mots ce qui pour d'autres aurait alors été intraduisible.

Hier, en marchant sur les plaines d'Abraham: je prends des notes sur l'agonie d'un chien noir. Le chien est apparu en boitant. Il a tourné une, deux fois sur lui-même avant de s'écraser au pied d'un érable sous lequel il gémit doucement. Je prends des notes en essayant de ne pas regarder le chien à l'endroit de sa blessure bien que je ne sache pas sur quelle partie du corps la douleur est plus vive. Il fait une journée splendide. Un ciel de mai comme on passe des mois d'hiver à les désirer. Le vent est chaud. C'est samedi matin. Un couple de touristes et leurs jeunes enfants s'approchent du chien. Croyant sans doute que le chien m'appartient, ils m'interrogent en anglais sur ce qui s'est passé. La femme s'agite. Le plus jeune enfant veut caresser l'animal. La mère s'interpose pour une question d'hygiène. L'homme dit : *You should do something about it instead of taking notes.* Il prononce la pre-mière syllabe de *notes* comme s'il allait entamer une chanson. Je lui dis en français que cette année on a constaté un nombre croissant de chiens errants sur les plaines. La mère et les enfants ont commencé à marcher en direction des remparts. Le chien doit peser environ quarante kilos. C'est un bel animal à poils courts. Il a encore les yeux ouverts. De temps à autre, un tressaillement le secoue. Maintenant je peux voir où est la plaie. Le sang coule, écarlate vif sur noir charbon. Au loin, un homme en uniforme vient vers moi à grandes enjambées. Je perds de vue la blessure. Je me dirige vers la statue de Jeanne d'Arc. Tout autour, il y a des fleurs. Sur de petits cartons blancs, on a inscrit leur nom. Je transcris les noms latins dans mes notes.

À Drummondville, Axelle s'est arrêtée pour boire un café et acheter *Le Devoir*. Depuis son retour au Québec, elle a fini par prendre l'habitude de le lire tous les matins. À son travail, les autres chercheurs ne lisent que des journaux anglais. Lire *Le Devoir* lui rappelle les longues conversations entre son père et sa mère. Des expressions lui reviennent : avoir le nez long, le samedi de la matraque, être en beau joual.

Axelle les revoit tels qu'ils surgissaient dans sa tête quand Lorraine en parlait. De grands chevaux blancs, bruns au poil dru et luisant avec des naseaux menaçants, des yeux qui font peur parce qu'ils regardent bizarrement et qu'on ne peut pas savoir ce qu'ils voient. Le cheval est un géant. Un coup de matraque, un coup de sabot et on peut mourir au bout de son sang, allongé sur l'asphalte, la tête pleine des cris, des hurlements et des jurons des manifestants. On voit des jambes, de gros mollets, des bottes Kodiac, des sandales, des *running*. Le ciment est froid, rugueux, l'asphalte sent l'huile, tu espères que personne ne t'écrasera la mâchoire. La peur du sabot dans l'œil paralyse. Tu cries, tu supplies. Le policier là-haut tout là-haut est hors d'atteinte. Il se prend pour Dieu. En selle, il est Dieu pendant deux heures.

Le mot piaffer : ce mot la faisait toujours rire aux éclats à cause des *ff* qui donnaient l'impression de vouloir éclabousser. Et comme sa mère riait à son tour d'entendre le rire on ne peut plus gras et sonore de sa fille, Axelle en remettait, devenait un énorme engin à fabriquer du rire. Pouffer. Elle pouvait le sentir gonfler dans sa poitrine, puis monter dans sa gorge avant de redescendre, roulant dévalant comme une grosse pierre jusqu'au pied de sa peur. Piaffer. Lorraine parlait aussi de manifestations organisées par des femmes. Enchaînées les unes aux autres afin que les policiers ne puissent pas les arrêter individuellement. Piaffer. Les vingt-quatre pages du journal traînent sur la table à côté du pourboire. Axelle a repris le volant en espérant qu'il y aura une piscine et une salle de musculation à l'hôtel.

Parfois, on se met de drôles d'idées dans la tête et on finit par avoir l'impression d'avoir pensé à quelque chose d'important. Je préfère les gens qui pensent à des peurs invraisemblables plutôt qu'à leur solitude vraie ou à leur mère folle. D'où vient que nous n'aimons pas mentir et que nous finissons tous par le faire, qui pour ne pas blesser, qui pour déjouer, qui pour aller au ciel.

Hier, Carla m'a qualifiée de lectrice passionnée sans rien connaître de mes habitudes de lecture. Je crois qu'elle voulait dire que je suis un être passionné et que le mot « lectrice » lui a échappé comme un verre nous glisse des mains. Il est vrai que la lecture fait partie de ma vie, qu'elle me donne du plaisir mais en même temps elle me brûle. De l'intérieur. Comme si, rencontrant ma nostalgie, elle allumait en moi des flambées d'une allégresse insoutenable.

J'envie Carla de ne pas être à la remorque des événements. Son univers est tout en intérieur. Moi, il me faut des musées, des rues, des terrasses animées. Des livres. J'envie les écrivains encore capables aujourd'hui d'employer le mot « existence » en se léchant les babines comme si cela allait ajouter du sens à la vie.

Mes rencontres avec Carla me donnent parfois envie d'écrire. Un chapitre. Un seul. Pas de roman. Pas d'histoire. Seulement un chapitre, un objet visuel avec des paragraphes, des blancs, une vague blancheur des gestes au fil des jours.

Carla : De l'eau ! Descartes veut de l'eau. Il implore en geignant. Moi, je suis debout, seule au milieu du champ de colza, je crie : « de l'eau ! de l'eau ! » comme Christophe Colomb a crié « terre ! terre ! » en voyant Hispaniola. Autour de moi, c'est jaune à perte de vue sous un ciel d'un bleu si dense qu'on le dit indescriptible. J'hurle : de l'eau ! comme si ma dernière heure était arrivée. Je peux voir la courbure de la terre tant ce pays est plat. Descartes se calme. D'un ton autoritaire, il regarde le cardinal et supplie qu'on lui apporte un verre de vin. Devant la contradiction, le cardinal ne réagit pas immédiatement. J'en profite alors pour baisser ma culotte et pisser en chantant les premières lignes d'un vieil hymne sexiste, puis je suspends tout : geste, chant et mimique de folle. Et je fais mon cardinal en roulant des yeux. Je laisse passer un coup de vent et d'un ton onctueux, je déclare : *nunc est bibendum.*

D'un air distrait, Simone Lambert attend que je parle. Derrière elle, le fleuve, un stationnement, du gris et encore du gris de pierre. La surface de son bureau est entièrement dégagée. Rien. Lisse comme un écran cathodique. Le monde recommence à chaque instant bousculé par un autre plus poignant qui cède aussitôt sa place à un autre plus beau, plus menaçant et ainsi de suite jusqu'à ce que le présent donne l'impression d'être un beau morceau de cèdre aux mille facettes ruisselantes de lumière et de promesses.

Parler de mon projet n'est pas facile. Je lance quelques noms qu'elle reconnaît en sourcillant. Tour à tour étonnée, curieuse et maintenant intriguée par mes propos, elle veut savoir ce qui motive chez moi un tel intérêt pour les védutistes.

— Comment, dis-je, décrire le lien qui existe entre l'art et les ruines. Les ruines nous fascinent. Elles forcent en nous la pensée du temps, une sensualité du temps aussi simple que il était une fois au bord de la mer, la transparence, la pureté, la nature grandeur nature.

Ce sont des rappels, des traces qui au lieu de nous laisser dans l'inconfort nous relancent vers le futur de nos propres ruines.

Naturellement je parle avec enthousiasme tout en me demandant ce qu'elle voit en moi, ce que je représente à ses yeux ou si je suis comme une petite pluie si douce au matin qu'on la confond avec le temps gris ou l'eau dormante d'un bassin. J'aurais envie de lui demander où commence la culture et où finit la peur de mourir. Je m'en garde bien et prétends plutôt que rêves et ruines ont en commun de nous faire jongler admirablement avec la pensée d'un ailleurs séduisant.

Je cesse de parler. Simone Lambert promet de réfléchir à ma proposition. Je glisse le mot dialogue entre nous, puis décor. Nous parlons théâtre un instant. D'une bouche maternelle, elle me recommande de consulter quelques traités d'architecture. Elle se penche pour écrire (*description des mains de Simone, petites veines, deux tavelures, une bague en or en forme de spirale à l'index de la main gauche*) : *Traité d'architecture* de S. Serlio, Milan, Musée théâtral de la Scala. « Je peux vous obtenir une permission spéciale si vous désirez faire des recherches au Centre canadien d'architecture. » J'acquiesce, puis d'autres mots circulent entre nous qui l'amènent tout naturellement à parler de perspective, d'éclairage, de ballets, de spectacles et surtout de l'édition princeps de 1486 de Vitruve, l'architecte romain qui, redécouvert à la Renaissance, fit fureur et plaisir de théorie en servant de modèle à plusieurs jeunes architectes.

Les images sont vagues. Elles apparaissent lentement, fragment par fragment.

Axelle roule vite. De chaque côté de la route, des champs, des silos. Quelques arbres. Elle revoit sa grand-mère agenouillée dans le jardin. Simone creuse la terre avec des mains qui ont l'air greffées tellement les gants qu'elle porte sont immenses et roses. Sur son dos rond, on peut lire MoMA dans le noir de son tee-shirt. Les semelles de ses chaussures sont couvertes d'une terre si noire qu'on ne peut que l'imaginer ayant servi à dessiner une toile de fond pour les nuits du mois d'août qu'Axelle a déclaré être les plus foncées de toutes à cause des étoiles qui à cette époque semblent surgir d'une opacité sans nom. À l'école deux fillettes lui apprennent des mots nouveaux. Une petite Turque lui a déjà enseigné fleurs, miel et lokoum. Quant à l'Allemande dont le père est biologiste, elle lui a déjà appris, en plus des mots *Stein, Stern et Apfelsaft* les mots omoplate, ménisque et culot. Axelle dit que Simone a un gros culot quand elle plante ses fleurs. Lorraine prétend que tous les mots nous aident à vivre, mais qu'il ne faut pas trop les plier dans tous les sens comme des morceaux de réglisse. Simone se frotte le dos et se retourne en demandant à Axelle de la gratter fort, là sous l'omoplate et un peu sur l'échine. Axelle pense que sa grand-mère a le dos large. Elle l'embrasse dans le cou. Les fleurs du jardin sont toujours grosses : pas de place pour le muguet et les clochettes. Ici, on vit entre les pivoines, les tournesols et les hortensias. Plus tard dans la journée, Simone a promis d'amener Axelle au Musée des beaux-arts pour voir les gros mollets, les orteils, les biceps et les seins dessinés de tout temps par de grands et médiocres artistes. Un autre jour, promis, elles s'attarderont devant les paysages et les portraits de nobles, de reines et de saints, de militaires et de servantes sombres que le temps aura pour la plupart engloutis dans l'anonymat et l'oubli.

Il n'y eut pas d'autres fois *nous irons au musée*, seulement une dernière bise sur la joue un jour dans un grand hall d'aéroport auquel on avait donné le nom d'un fruit avec des gens qui parlaient fort en annonçant toute une série de vols. Puis il y avait eu des cactus, des hibiscus, des bougainvilliers dans un petit jardin de Coyoacan. Mais de Simone point.

Sortir de l'histoire, de mon histoire à volonté me semble infiniment désirable. Pour cela, je juxtapose des noms propres comme Las Vegas, Salta ou Trois-Rivières. Je ferme les yeux, car je sais que je n'habiterai pas là tant que je n'aurai pas refait le paysage. Ou je vais carrément vers le Nord et ses lacs à miroir reflétant gueules d'ours et panaches de grands cervidés. Pour sortir de mon histoire, je m'imagine roulant pendant des heures dans la pampa ou dans la forêt boréale. À chaque secousse, je m'abîme dans la rondeur écarlate d'un soleil sur le point au loin de sombrer pendant que des cabanes de tôles et de cartons bruns remplacent l'horizon vert et se transforment peu à peu en ville ouvrière avec des habitants qui, pour le moment, se tiennent dans la chaleur, la poussière ou le froid comme on le fait dans les pays où le rêve et sa propre histoire ne coïncident jamais. Je me dis parfois que ce n'est pas naturel, tous ces hommes debout dans la poussière, ces femmes dont on ne voit jamais les yeux et dont la visibilité dépend de la couleur flamboyante de leurs jupes ou de la forme, dans leur dos ou sur leur poitrine, d'un enfant endormi.

Carla : Descartes a quatorze ans en 1610 lorsque le Caravage âgé de quarante ans s'embarque pour Rome à bord d'une felouque. Il mourra quelques jours plus tard à Porto-Ercole après avoir agonisé sur la plage de la Versilia pendant quelques jours. Je sais que tu tolères mal le mot agonie, mais c'est ainsi. Donc, le Caravage agonise dans le sable comme fort probablement Pasolini en 1965 sur la plage d'Ostia.

La narratrice : Je n'ai jamais dit que le mot agonie me faisait horreur. Je t'ai tout simplement confié qu'à la mort de maman « agonie » a cessé d'être un mot creux.

Carla (*tout en faisant signe au garçon d'apporter un autre Manhattan*) : Éclairage. Tu connais le sens du mot éclairage ? Imagine une pile de linge propre sur une lessiveuse dans un lavoir public. Assise sur une chaise bancale, une femme vêtue d'un bermuda rose et d'une chemisette beige sans manches. C'est l'après-midi. Il fait chaud. La femme transpire. Dehors, il tombe une petite pluie fine. La femme allume une cigarette. Imagine l'éclairage sur son visage. Une gare à l'aube avec des gens qui circulent, on dirait plus ou moins programmés par un ordinateur. Une femme vêtue d'une veste de laine jade se tient debout en levant les yeux vers l'horloge de la gare. La femme a les yeux anormalement humides. Juste au-dessus d'elle, il y a un énorme néon suspendu qui, s'il tombait au moment où je te parle, la tuerait sur le coup. Imagine. Une petite voiture stationnée sur le bord de l'autoroute. De temps en temps les phares d'une voiture éclairent violemment l'intérieur de l'auto. Au volant, une femme est assise. Elle regarde intensément devant elle en se masturbant. Imagine les muscles de son visage quand la lumière des phares balaie son regard. Maintenant écarte le cendrier et les verres sur la table, penche-toi au-dessus de l'*arborite*, attends que l'image de ton visage soit stable et décris-moi le visage de ta mère sur son lit de mort.

Comment les villes s'infiltrent en nous de manière qu'on ne puisse plus s'en passer restera toujours un mystère pour Simone. La couleur du fleuve changeant et sa brise, parfois son vent violent, allument en elle un être sur le qui-vive qui ressemble en tout point à l'image qu'elle se fait de l'artiste à son mieux et qu'elle a pourtant toujours craint de devenir.

Soleil sur la joue, nuit qui colle à la rétine, combien de fois, pleine du bruissement des projets et des souvenir qui l'habitent, avait-elle appuyé son visage sur la *bay-window*, collé son être à l'horizon, empruntant par le seul regard les sentiers bordés de roses qui menaient vers des sites lointains où la pierre, le marbre et les coquillages formaient des gradins, des nymphées, des thermes, des ensembles si vrais qu'ils auraient pu servir de décor à sa propre vie. Pour quelle raison les villes de Bosra, de Pétra et de Palmyre venaient-elles tourner dans sa mémoire au moment même où Axelle allait entrer une seconde fois dans sa vie ?

« Je ne puis néanmoins laisser partir ce dernier vaisseau sans... Il est vrai qu'encore que vous fussiez la seule chose qui me restait au monde où mon cœur fût attaché, il voulait néanmoins nous séparer lorsque vous étiez encore à la mamelle ; et, pour vous retenir, j'ai combattu près de douze ans. » Simone feuillette distraitement le tome 4 des *Écrits spirituels et historiques* de Marie de l'Incarnation. Les lettres à son fils n'ont jamais cessé de la troubler. « La rencontre de la frégate de Québec qui va à la pêcherie de l'Île-Percée, où il se trouve des vaisseaux pêcheurs qui sont plus tôt de retour en France que ceux d'ici ne sont prêts de partir, me donne sujet de vous écrire ce petit mot... Ces nouveaux habitants nous obligent d'étudier la langue huronne, à laquelle je ne m'étais point encore appliquée, m'étant contentée de savoir seulement celle des Algonquins et Montagnais qui sont toujours avec nous. Vous rirez peut-être de ce qu'à l'âge de cinquante ans je commence à étudier une nouvelle langue ; ». La cinquantaine advenue, elle aussi s'était mise à l'apprentissage de l'espagnol comme si, à travers cette langue, elle espérait retrouver une Lorraine depuis longtemps disparue sans laisser de traces.

Ce soir, tout en Simone est distraction, chaos d'images, pensées volatiles, immense présent qui broie les os, parcourt l'échine comme la peur et le découragement quand elle voyait un musée compétiteur essayer de lui soutirer les artefacts qu'elle convoitait depuis longtemps.

Carla : Aujourd'hui, on ne peut plus faire semblant d'écrire des histoires inventées. Il faut aller directement au but et donner l'illusion d'un flot continu de pensées qui nous concernent tous et toutes, ici et maintenant. Pas question de faire semblant comme en littérature où il n'y a que cela, faire semblant au beau milieu d'un grand flou. Faire semblant jusqu'à ce qu'on arrive enfin à distinguer quelqu'un quelque chose qui donne envie de caresser ou de se taire. C'est un étrange processus, tu sais. Quand les pages se suivent et qu'il n'y a aucune résistance, je m'étonne que cela ne m'amène pas plus loin du côté de la violence ou dans ces zones de langueur où l'indicible reste à fleur de peau. Quand ça coule de source, je m'inquiète. Et quand les mots résistent, je m'inquiète encore que ça résiste tant, que les mots dressent des barricades et allument des incendies terrifiants comme pour m'empêcher de retrouver la perfection des soirs de juillet et l'accent fort de ma mère. Alors, je perds patience, je m'emporte. Je me laisse tomber pieds et poings liés dans la Blessure (*Voir au* *dictionnaire le mot blessure)* comme si j'avais tout naturellement appris à me venger de la rosée et des pluies fines que j'associe facilement à la littérature.

Une allée de pylônes dessinés sur le ciel, des antennes paraboliques au-dessus de rectangles-entrepôts de tous matériaux, des terrains de camping remplis de roulottes dans lesquelles on imagine des femmes et des hommes en train de jouer aux cartes et de fumer; ou un solitaire appuyé contre une fenêtre d'aluminium, se masturbant pour chasser un ennui plus beige qu'une goutte de sperme sur un prélart de cuisine ou qu'un caleçon oublié sur un comptoir de lavoir. Et tout au long du parcours, dispersé ici et là au fil de la route comme une apparition répétée, le même arbre isolé au milieu des champs, assigné là pour braver le destin et la foudre des dieux anciens qui refusent désormais de veiller sur le nouveau maïs transgénique. Axelle roule, vite avec de petites flammèches dans les yeux.

À partir de Saint-Apollinaire la circulation est au ralenti. Quelque chose qui ressemble à de la panique s'abat sur Axelle. Pourquoi avoir accepté de rencontrer cette femme qui voudra sans doute lui poser des questions sur la vie au temps de son père et de sa mère? Une tristesse fougueuse s'installe dans ses muscles et pendant un moment qui lui semble une éternité ou un cliché, le passé s'étire et se rétracte en elle, devient battement rapide du cœur. À sa droite, les chutes Montmorency arrivent comme un éclair, un flash-flot répété sur lequel l'œil ne peut pas vraiment s'arrêter déjà happé par la forme gigantesque d'un pont venu à toute vitesse se juxtaposer sur la rétine à la beauté du paysage et au vertige. Et soudain, la peur et l'incertitude forment un nœud si étrangement voluptueux au bas du ventre d'Axelle qu'elle se laisse tout simplement bercer par la pensée de revoir Simone, la voyageuse, la brillante directrice d'un musée de la civilisation, bref une femme comme elle n'en avait pas connu et qui à cause du lien de parenté devait déjà sans doute l'aimer, n'aurait probablement pas d'autre choix que de l'aimer.

Carla : Il m'arrivait aussi de jouer à la reine Cristina. Mais toujours je détachais ces scènes de celles de la mort de Descartes. Moi, Cristina, je galopais à toute vitesse dans une forêt de blé et d'épis qui, au fur et à mesure que j'avançais, se transformaient en arbres fous, c'est-à-dire violemment soumis au vent. D'autres jours, ô combien, j'aimais ces scènes, j'attendais le crépuscule et je sortais de la maison d'un pas précipité, puis je marchais dans les champs avec l'ardeur de celle qui parcourrait tous les matins les nombreuses pièces de son château pour se rendre à la bibliothèque. Là, je sortais un livre de ma poche et, tout en feignant de lire, j'attendais. Quelqu'un frappait à la porte. Je disais : « Entrez, Monsieur Descartes (*en anglais dans le texte*). Veuillez vous asseoir et me dire quelle est "cette impulsion secrète qui nous porte à aimer une personne plutôt qu'une autre". » D'autres jours, j'allais à la chasse et je tuais systématiquement l'araignée, la couleuvre et, avec un peu de chance, chaque rat des champs qui se trouvait sur mon passage. En reine Cristina, j'étais admirablement habile et si cultivée qu'on aurait pu dire de moi : elle était « si éloignée de toutes les faiblesses de son sexe et si absolument maîtresse de toutes ses passions ». Dans mon roman, la reine vit à Rome et fréquente des cardinaux. Comme le Caravage, elle meurt à Rome.

Hier, j'ai fait un songe étrange comme ils le sont tous quand on s'y voit mourir. Un lion tenait sa gueule ouverte sur ma gorge. Il ne bougeait pas, guettant le moindre battement de cils de ma part. J'étais figée dans le temps et l'espace car je savais fort bien que c'en serait fini de moi dès que je manifesterais le moindre signe de vie. Condamnée par le scénario, je me suis réveillée.

Retrouvons-nous demain après-midi au Clarendon. J'ai quelque chose à te raconter au sujet du chapitre cinq.

Je baguenaudais dans la rue Couillard lorsque l'idée me prit d'entrer dans une boutique dont la vitrine me semblait plus attrayante que les autres. Une fois à l'intérieur, je tournai en rond autour des étalages jusqu'à ce que, coup de tête, je décide d'acheter une bague repérée parmi tant d'autres en un éclair. «Bague à poison», c'est ainsi que la vendeuse nomme la bague qu'elle dit venir ou de Thaïlande ou d'Indonésie ou d'Asie, et cela, en s'excusant de son ignorance. La bague est en argent. Sur chacun des côtés, des formes qui pourraient tout aussi bien être des chiffres, des lettres ou un motif floral sans signification. Le chaton, écrin bombé, s'ouvre. À l'intérieur, il y a de la place pour trois nitros ou tout autre comprimé, modèle aspirine, pouvant soigner ces maux étranges et mystérieux qui assombrissent le regard des vivants ou qui les emportent, l'instant d'un vertige, vers un monde meilleur. J'ai acheté la bague à cause du mot «poison» qui intrigue et fascine. Pendant un moment, j'ai aimé jongler avec l'idée qu'on puisse en quelques secondes passer d'un monde à un autre, avoir la mort au cul et à la gorge, offrir son souffle et sa poitrine au destin. Il y a aussi le chaton si poli qu'il se transforme en mini-miroir dans lequel je peux apercevoir mon visage anxieux et légèrement déformé, tel un vieil appareil à mesurer l'angoisse restée là suspendue au-dessus du vide.

J'ai mis la bague à mon annulaire gauche. Tout en caressant la dose d'imaginaire qui la traverse, j'ai cru un instant qu'il allait m'arriver quelque chose. La bague me plaît. La bague m'angoisse. Elle dit que je ne suis pas guérie des images de l'agonie de maman. Elle me rappelle que nous franchissons constamment des silences.

Je n'ose pas dire à Carla que j'écris au sujet de nos rencontres. En fait, depuis un mois, je transcris nos conversations. Tout cela est arrivé par hasard. J'enregistre souvent mes commentaires sur les œuvres, les artistes, l'accrochage ou l'éclairage d'une exposition. Le soir en rentrant, je reprends par écrit l'essentiel de mes propos. Je présume que c'est sans doute en fouillant dans mon sac que j'ai un soir déclenché l'enregistreuse magique qui capte les plus muettes voyelles, les toux, les voix graves et même les voix éteintes. Deux heures de conversation avec des rires, des hésitations et, en arrière-plan, des sons de trompette houleuse et de saxophone dément. Carla raconte, s'enflamme, rit nerveusement. Quand je parle de Simone Lambert, elle m'interrompt en disant «j'espère que tu me la présenteras avant mon départ». Quoi qu'il en soit, Simone Lambert a fière allure au milieu du récit de Carla. Hier, j'ai fait jouer et rejouer le cinquième enregistrement en prenant bien mon temps et soin de transcrire les plus anodines exclamations qui parsèment toujours les conversations.

Depuis le premier enregistrement né du hasard, je ne manque pas de glisser le petit appareil dans une poche de ma veste avant chaque rencontre avec Carla Carlson. Deux heures de conversation. Jamais plus. Tout ce que nous disons après ces deux heures disparaît à tout jamais en chacune de nous, n'existe que dans l'infiniment petit de l'être intérieur. Va se blottir discrètement dans la mémoire de chacune.

Une fois rentrée à la maison, je me concentre méticuleusement sur les ruptures de ton, les flâneries entre les mots, les hésitations. J'étudie le comment des phrases, la naissance d'un propos, ses points forts, sa chute lente dans l'insignifiance ou au contraire son envol dans un ensemble qui donne l'impression que l'âme va soudain se dresser contre l'immensité. Je n'ai pas l'impression de tricher ou de trahir. Ce que je transcris dans mes cahiers ne concerne que moi et le langage. Les enregistrements me donnent parfois l'impression que nous sommes trois à converser, à circuler lentement, allant l'une vers l'autre en pensant « j'aurai sa peau, je veux être dans sa peau ». Lorsque Carla parle plus de vingt minutes sans arrêt, j'entre dans un temps rare qui n'est ni le sien ni le mien mais celui de la littérature, je crois. Le temps, l'art et la réalité se regroupent inexplicablement au bord de nos lèvres. Certains soirs, Carla revient sur le fait que Samuel Beckett a un jour été poignardé par un clochard. Je la laisse se répéter, car le seul fait d'entendre le nom de

Beckett m'émeut. Ces soirs-là, je m'accroche au silence à la force des poignets.

Fabrice vient de s'envoler pour Istanbul. À quelques kilomètres de là, on se prépare à inonder un des plus beaux sites romains. « Ils avalent l'histoire comme des singes avalent une banane en rotant. » Fabrice est furieux-heureux, radieux. Comme avant chaque voyage, il a parlé de ruines et de gastronomie, de jeunes gens dont la beauté est tantôt classique, sultane ou ressemble à un grand cri dans la bouche d'un saint Sébastien contemporain. Nous avons travaillé jusqu'à la dernière minute avant qu'il ne saute dans un taxi pour l'aéroport. Il m'a laissé du travail pour au moins un mois en me souhaitant un bel été. Il compte profiter du voyage pour prendre des vacances en Iran. En partant, il me murmure à l'oreille qu'il ira au théâtre, en plein air et là où le spectacle l'attirera. Trois employés de soutien sont venus lui souhaiter de bonnes vacances. Ils se sont embrassés, serré la main. La sculpture d'Astri Reusch m'a semblé plus blanche qu'à l'ordinaire et son murmure d'eau plus harmonieux.

J'ai mis beaucoup de temps à comprendre que les êtres humains pouvaient prendre plaisir

les uns aux autres. Pendant longtemps, j'ai cru
que seules les choses nécessaires comme le travail, la sexualité et l'entraide en cas d'urgence,
de malheur profond et de peur incontrôlable,
étaient à l'origine de toutes les conversations.
J'ai toujours eu l'impression de vivre en marge
des relations d'amitié dont on dit qu'elles
doivent être cultivées et entretenues avec des
précautions infiniment plus raffinées que celles
qui conviennent à l'amour. Au même titre
que le mot agonie m'était inconnu, amitié je
crois m'est étranger dans son essence. Cela,
je le découvre en parlant avec Fabrice et Carla.
Fabrice ressemble de plus en plus à un ami. Il
y a en lui cette anxiété qui rend souvent les
hommes inquiets et osseux mais philosophes.
Fabrice transforme son angoisse en tendresse
généreuse. Il sait distinguer entre la connaissance et le danger du savoir mou qui pourrit
dans les interstices de la lucidité.

Carla : Au début, je croyais que ce serait simple. Qu'il me suffirait de faire se détacher un personnage et de mettre les autres à son service. Au début, papa errait dans les rues. Je décidais de tout. S'il allait buter sur une roche, glisser sur la pierre humide, entrer dans un bar, s'enivrer ou non. Je tenais sa joie, son malheur au bout de ma plume, tout comme, enfant, je tenais le destin d'Hélène et de Descartes dans ma voix, au fond de ma gorge que je pouvais à volonté emplir de bons ou de mauvais sentiments. Mais c'est plus fort que moi, je ne peux pas parler de la vraie vie. Par exemple, tu vois cette femme là-bas, comment elle dirige sa fourchette vers sa bouche en étirant légèrement le cou, en courbant son dos, les coudes serrés contre ses seins, cette femme entièrement concentrée sur ce qu'il y a dans son assiette, au bout de sa fourchette et maintenant dans sa bouche, cette femme grassouillette aux cheveux courts, aux bras bronzés et potelés, est en train d'exister à son insu. Ce sont des choses comme ça que je ne peux pas me résoudre à écrire.

La narratrice : Pourtant rien n'est plus fascinant que d'observer les êtres humains. Si en plus tu arrives à les décrire dans leurs gestes les plus intimes, tu as l'obligation, il me semble, de répondre à la demande qui veut qu'on soit curieux de ses semblables, ne serait-ce que pour jouer au miroir ou tromper un sentiment de trop grande vulnérabilité.

Carla: Tu as sans doute raison. Il y a un écrivain italien dont je lis tous les livres pour la simple raison qu'il fait terriblement chaud dans chacun de ses récits. Dans un de ses romans, le héros passe une partie de son temps à s'essuyer le front, à manger des omelettes et à boire de la limonade. Chaque jour, la chaleur le détruit. À l'aube, la vie recommence et on a l'impression que l'âme de l'homme va sombrer au milieu de la culture ou s'effondrer sur un tas d'ordures laissé au bord d'une rue. J'aime cet auteur parce que tous ses personnages souffrent sans concession de la touffeur.

La narratrice: Cela me semble plutôt banal.

Carla : Moi, ça me stimule. En luttant contre la chaleur, cet homme lutte contre tout ce qui rend la vie insupportable. Ça m'aide à comprendre. Le pire, c'est que toute cette chaleur, toute cette angoisse me donne du plaisir. *This is why I keep writing against my will those dark novels.*

La narratrice: Alors de quoi te plains-tu?

Carla: (*silence*)

Hier après avoir rencontré Carla. Tous les gens finissent un jour ou l'autre par dire « je me souviens », tous sans exception, arrimés à leur squelette et aux grands moments de leur vie qui, somme toute, ne sont pas si nombreux et ne durent jamais plus que quelques heures, quelques jours tout au plus. Grands moments légués avec fierté à la génération suivante qui à son tour les refilera à la prochaine qui les épinglera en lettres minuscules ou majuscules sur son curriculum vitæ chaque fois qu'il s'agira de résister à l'effacement. Carla dit souvent, comme si elle avait peur d'être oubliée : « Le jour où plus personne sur cette terre ne peut reconnaître votre visage sur une photo, vous venez de disparaître à tout jamais dans le néant cosmique. »

Depuis les deux dernières semaines, les conversations avec Carla m'épuisent. Il n'y a plus que du dialogue entre nous, je veux dire un jeu de balles utile à son roman et qui me laisse isolée au milieu du champ.

Cette frénésie de raconter. Plus le séjour de Carla se prolonge, plus le roman avance, moins il y a de l'espace pour que je puisse m'immiscer dans son monde qui, j'en suis certaine, la dévorera un jour. Il y a à peine dix ans, j'aurais remarqué la paupière bombée comme celle des madones du XVe siècle italien, le carmin des lèvres, j'aurais réveillé à travers elle des dizaines de femmes célèbres : Jeanne d'Arc et la Princesse de Clèves, Catherine de Médicis, Marie Curie, Greta Garbo. Ensemble, nous aurions déliré sur le sens perdu de l'honneur des femmes savantes.

Après un mois de rencontre, Carla ne sait rien de moi. Je suis toujours présumée attentive et disponible. Il ne fait aucun doute que je suis attirée par le paysage inquiétant qu'elle porte en elle comme un horizon. Dans cette ville de Québec qui nous est à toutes deux étrangère, nous aurions pu amorcer le décompte des certitudes, placer entre nous autre chose que ces jouets existentiels que l'on appelle enfance ou rêves flamboyants.

Elle me regarde avec une intensité qui me dissout dans la première lumière de l'aube. Son visage, monde vivide, je ne sais plus si j'existe dans un cliché ou si j'ai un jour existé dans la blancheur du matin devant cette femme aux gestes lents qui, ne me quittant pas des yeux, est allongée là devant moi, nue plus nue que la nuit, plus charnelle qu'une vie entière à caresser la beauté du monde. Soutenir son regard m'est douloureux. Je devine, je respire et je la devine encore. Quelques centimètres sous le manubrium luit un petit diamant qui semble tenir sur sa poitrine comme par miracle. Le diamant, sans doute retenu par un petit anneau fixé dans la chair, scintille comme une provocation, un objet de lumière qui guette le désir, happe l'autre. Je suis cette autre. Je suis l'émotion pure qui guette le destin tapi en cette femme. La femme offre son désir, sème en moi des phrases dont la syntaxe m'est inconnue et que je suis dans l'incapacité de suivre et de prononcer. Des mots sont là que je n'arrive pas à bien distinguer se*ins*, *vent*re, bl*h*anche, s*t*exe et entre eux, les lèvres de la femme remuent comme une eau de vie qui lave de tout cliché, promet que chaque empreinte du regard sera sexuelle sera répétée et fluide aussi vive que la lumière du matin qui absorbe les pensées les plus intimes. Ses bras sont ouverts. Elle s'offre à toutes les caresses qui, en langue maternelle, suspendent la réalité. La femme a tourné la tête légèrement de manière que sa gorge étonne. Il y a dans son regard des traces de cette eau qui, dit-on, jaillit quand la mémoire se fait verbe et relance le désir au bord des petites lèvres. Maintenant le regard de la femme s'engouffre dans le futur.

Axelle s'est installée dans un hôtel de Sainte-Foy. À la réception, un message de Simone l'attendait pour lui souhaiter la bienvenue et lui donner rendez-vous à vingt heures trente dans un restaurant de la rue Sainte-Ursule. Axelle a demandé qu'on ne la dérange pas. Elle a pris une douche, puis s'est endormie une grande serviette autour des reins. Elle s'est réveillée avec une faim de loup, a compris qu'elle ne tiendrait pas le coup jusqu'à l'heure du rendez-vous, a enfilé deux sacs de noix trouvés dans le mini-bar. Après avoir tourné en rond un moment, elle s'est installée dans le lit et plongée dans l'étude d'un dossier sur l'hérédité. Deux pages, elle n'a lu que deux pages avant de se retrouver à trois ans dans les bras de Simone. Sa mère discute avec son père. Elle est appuyée sur l'évier, lui marche de long en large dans la cuisine. Chaque fois que ses talons touchent le sol, il y a un drôle de bruit. Simone dit qu'il faut rester calme. Que l'armée ne peut pas rappliquer comme ça chez les gens sans mandat de perquisition ou sans mandat d'arrêt. Cela n'arrive que dans les dictatures. Axelle se souvient d'avoir frôlé la joue de sa grand-mère en essayant d'attraper une boucle d'oreille qui allumait des flammèches sur le fond sombre de la cuisine. Sa grand-mère pleure. Ce soir-là, elle avait entendu Lorraine et Simone parler à voix basse comme si elles n'avaient que des secrets à se dire. Pendant longtemps, Axelle avait cru qu'elle avait le pouvoir de faire pleurer sa grand-mère en lui caressant la joue. (*Écrire trois pages sur la Loi des mesures de guerre*)

Carla : Ce n'est jamais très bien de faire disparaître ou de faire mourir un personnage.

La narratrice : Normalement quelqu'un qui va mourir a du sérieux dans les yeux et ne fait plus de fautes de grammaire.

Carla : Qu'en sais-tu? Ce sont des choses qu'on découvre en écrivant. Tu n'écris pas, à ce que je sache, tu es vierge en écriture, *virgin in ink,* n'est-ce pas?

La narratrice : Cela ne m'interdit pas d'avoir une opinion sur le droit de vie et de mort que les gens de roman prétendent avoir sur leurs personnages.

Carla : Je t'avoue que les gens qui, sans écrire, font semblant d'éprouver des joies et des angoisses d'écriture, m'agacent. On écrit ou on n'écrit pas, il faut choisir. On ne peut pas rester comme ça entre deux chaises, entre deux vies sous prétexte que l'on a peur de quelque chose qui n'est pas soi ou qui risquerait de le devenir si on écrivait.

La narratrice : Il faut savoir imaginer, empiéter sur le terrain des autres pour faire valoir certains verbes, par exemple, le verbe aimer. Si un jour j'écris, ce sera uniquement pour dire à une femme que je l'aime et qu'elle est le centre du monde à partir duquel j'essaie de comprendre la réalité. Ça te fait rire?

Carla : Non, mais ici, la plupart des écrivains n'arrivent pas à écrire plus de cinq lignes sur les chiens errants, alors je me demande comment ils font pour écrire sur l'amour. En Europe, aux Antilles et en Afrique, tu le sais aussi bien que moi, un chien, que dis-je, les chiens errants peuvent occuper la moitié d'un manuscrit. Tu sais qu'aux yeux d'un Européen quelqu'un qui ne peut pas écrire plus de cinq lignes sur les chiens n'est pas un écrivain.

La narratrice : Je sais. Il faut aussi savoir écrire sur les oiseaux, les nuages au loin, les vieux meubles et le corps féminin. Au fond, écrire sur ce qui nous intrigue, nous met en colère, nous enchante et nous accable devrait être relativement facile. Mais si, comme je le pense, écrire c'est se glisser dans l'âme d'un chien et surgir au beau milieu de la nuit dans la conscience des gens...

Carla : La ferme ! La ferme est un lieu intéressant pour ça : les cochons, les mauvaises herbes, tu n'as pas idée du vocabulaire qu'il faut développer pour décrire la formation des nuages, la versatilité de l'éclair, son trajet fou dans les ténèbres. Mais il est vrai que je préférerais écrire sur les chiens errants, probablement parce que je les associe à la chaleur. La ferme et le *highway. Still I like that. Strong winds of memory no matter where we speak from.* Partout où il y a des chiens errants et des poules vivantes, il y a de la poussière et, somme toute, beaucoup de chiens mènent à Rome. Alors, au moment où Descartes va mourir, le cardinal finit par avoir les yeux injectés de sang et il crie : *alea jacta est* en se roulant par terre comme un maudit fou. À cause du vent qui souffle en direction de la maison, ma mère entend tout ce qu'il dit, tout ce que je crie. Elle me fait signe de rentrer. Et moi, je lui crie que je veux rester ici pour caresser la nuit de la main gauche. Je veux faire ça comme quelqu'un qui écrit en mélangeant des parties du corps aux couleurs de l'été.

Vingt heures. Axelle quitte l'hôtel en taxi. Un peu avant d'arriver à la porte Saint-Louis, elle décide de marcher et demande au chauffeur de la déposer devant le Parc de la francophonie, espérant trouver là signes et symboles d'une solidarité réjouissante. Une étrange structure de béton la laisse songeuse et l'effet suspendu du mot francophonie lui rappelle le temps où la famille Morelos se moquait affectueusement de son accent rigolo *estraño*. Avec les années, le drôle d'accent était devenu une seconde nature et la langue maternelle, qu'elle parlait pourtant de plus en plus depuis qu'elle habitait Montréal, n'avait plus rien à voir avec les intonations fermes et saccadées qui caractérisaient les échanges entre Lorraine et Alexandre quand, avec les mots de la lutte quotidienne et ceux du plaisir de vivre, ils condamnaient la veulerie des politiciens. Plus loin, une statue retient son attention. La sculpture rappelle une rencontre de l'après-guerre entre Churchill et Roosevelt. Que l'événement ait pu se produire ici dans une petite ville de province nordique l'étonne. Puis à bien y penser, elle se dit que Québec n'avait rien à envier à des villes comme Oslo, Copenhague, Helsinki ou Stockholm, qu'elle avait récemment visitée à l'occasion d'un congrès sur la fécondité des femmes en temps de guerre.

À vingt heures trente, Axelle fait son entrée au Saint-Amour. Simone Lambert n'est pas encore arrivée. On lui offre de s'asseoir sous la grande verrière en prenant un verre à la table qui leur est réservée. Axelle préfère patienter en marchant, rue Sainte-Ursule, au milieu des vieilles maisons de pierre si particulières. À vingt et une heures trente, Simone Lambert n'est pas encore là. Axelle s'inquiète, s'impatiente. Le retard est en voie de se transformer en abandon. Tout à la fois blessée, en colère et prête à pardonner, les yeux remplis d'une eau de tristesse, elle s'élance dans la rue en espérant qu'une femme d'âge certain l'aborde en lui demandant si elle est bien Axelle Carnavale, la fille de Lorraine Lambert.

Rue Saint-Louis, elle tourne à gauche dans la petite rue du Parloir où elle achète une barre amaigrissante qu'elle mange en regardant distraitement les pierres grises du couvent des Ursulines. Une lumière de fin du jour court sur la pierre couleur lapin pluriel aux aguets à la lisière des forêts. Le mot couvent se met à tourner dans sa tête, familier comme un objet d'enfance. Sa mère, sa grand-mère, ses tantes, toutes avaient un jour ou l'autre utilisé le mot pour parler de ce passage obligé qui donnait accès aux jeunes hommes de la petite élite québécoise alors composée d'avocats, de notaires et de médecins allant eux-mêmes servir de réservoir à la classe des rejetons politiques des années de la « grande noirceur », comme disait sa mère et que son père traduisait par « la grandeur noircie ». Couvent : maintenant le mot agissait, collé au bas du ventre, associé à la traversée de longs corridors obscurs, à une salle de solfège et à une panoplie d'endroits interdits qui lui faisaient penser au court roman de Violette Leduc.

Rue des Jardins, une église qui porte le nom d'une cathédrale. De l'autre côté de la rue, elle longe un édifice d'un brun brique pâle d'où s'échappe un air de jazz qu'elle reconnaît facilement à cause des nuits de Princeton où, pianiste d'occasion, elle accompagnait un trio de jazzwomen pour le pur plaisir des nuits blanches. Le bel édifice l'intrigue. Rue Sainte-Anne, elle constate qu'il s'agit d'un hôtel. Un hall style art déco sans verbe. Lorsqu'elle entre, une odeur de cigarettes la saisit à la gorge. L'ambiance enfumée lui rappelle les gestes nerveux de Lorraine qui, les soirs de réunion quand la maison était pleine d'hommes et de femmes aux idées rouges de changement et de révolution, ne cessait d'allumer cigarette après cigarette. Au fond de la pièce, une verrière finement ciselée avec des motifs de fleurs énigmatiques. Derrière la cloison transparente, des ombres et les dernières notes de *Sophisticated Lady* de Duke Ellington.

Les urnes

Lundi soir, le musée est fermé. Simone déambule dans la grande salle d'exposition où le silence et la solitude forment un couple invitant. Depuis les premiers jours de l'exposition, Simone a pris l'habitude de venir faire sa ronde de méditation entre les urnes et le reflet vitré des présentoirs. Au mai de lilas et au bleu versatile du fleuve, elle préfère la parenthèse temporelle, la chute dans le temps que représente *Siècles lointains.* Bien qu'elle connaisse chacune des pièces dans ses moindres détails, son histoire, le site où elle a été trouvée, l'usage qu'on en faisait, Simone reste là longtemps, songeuse et fascinée, devant elles comme si elle les voyait pour la première fois. De temps en temps, les pas du gardien interrompent le ronron du système de contrôle de la température. Ronron qui, dans tous les musées du monde, contribue paradoxalement à créer une impression de silence et d'intense activité mentale qui provoque chez l'amateur de musée un sentiment de vitalité.

La plupart des urnes sont sous verre. D'autres, massives et scarifiées sur toute leur surface, apparaissent sous un éclairage blond, produit d'un savant calcul permettant de suspendre le temps comme une particule esthétique au-dessus de la rondeur débonnaire des urnes géantes.

Simone regarde les urnes comme si chacune contenait un petit noyau dur qui tout en la projetant vers le futur la retiendrait à la gorge, vieille nostalgie du temps où Alice, jeune médecin, et Simone Lambert, archéologue, allaient de par le monde s'empiffrer de sites, de nécropoles, de sable volcanique. Et de la mer. Et de la mer. Du temps où le futur se traduisait toujours à court terme par une conférence de presse à organiser, un nouvel article à écrire, l'apéro au coucher du soleil, l'amour à la nuit tombée quand l'obscurité sera si totale qu'il faudra tendre l'oreille constamment pour ne rien perdre du plaisir d'Alice livrée à la nuit sans étoiles, à l'idée de l'infini pendant que non loin du campement les chacals et les damans de rocher aiguisent leur appétit. Oh ! combien ils étaient précieux ces temps de mission qui permettaient à Alice d'échapper à la grisaille administrative de l'hôpital et de s'éloigner temporairement de la mort intubée et palliative qui lui semblait cruelle comparée à celle qui avait régné sur le site à l'époque où épées, lances et poignards plongeaient à n'en plus finir dans les poitrines, les viscères, les yeux et toute chair qui se trouvait sur leur passage, laissant chaque grain de sable et brin de paille se colorer d'un sang vengé d'un sang versé.

Sur les sites, Simone faisait tout pour que la vie soit, malgré la rudesse du climat et l'inconfort

des installations, une expédition vers la connaissance et le pur plaisir d'exister dans la lumière.
Là-bas, Alice parlait rarement de son travail à
Simone. Il y avait constamment des accidents,
de petites égratignures, des foulures, des piqûres
qui ne guérissaient pas, des plaies vives que
personne n'osait regarder. De la fièvre. Parfois,
une crise d'angoisse s'abattait sur un membre
de l'équipe qui disait s'être entiché du diable
ou qu'on lui avait injecté le sens de la vie comme
un poison à long terme. Alice s'occupait de la
fièvre et du délire. Simone interrogeait l'homme
ou la femme sur la nature du poison. Quand
l'autre semblait en mesure d'écouter, elle disait :
« Soyez sans crainte, c'est la solitude qui agit. Il
n'y a aucun poison dans la solitude. Bien au
contraire, la solitude est remplie de visages. Le
problème, c'est qu'elle agit sur la circulation du
sang de manière si incohérente que les pensées
s'en trouvent brisées, déchirées. C'est la déchirure qui fait confondre la solitude et la sensation
de foisonnement, pardon d'empoisonnement. »

Ces jours-là, quand les outils avaient été
ramassés et rangés, que le soleil frappait bas le
marbre et que le sol semblait prêt à s'envoler
comme un pollen mystérieux au-dessus des
tombes et des urnes, Alice demandait à Simone
si elle s'était servie de *l'Histoire de la loque
trompeuse* pour faire entendre raison à qui venait
d'échapper au vertige lancinant de l'angoisse.

Dans la salle d'exposition, les pensées de
Simone surgissaient pêle-mêle, se défaisaient,
se dissipaient tout naturellement revenaient
en épousant une autre forme cette fois-ci qui

donnait des pincements de cœur, allumait des feux de paille de fureur, aveuglait soudainement. Les visages défilaient, celui de Lorraine accompagné de ceux d'Alexandre Carnavale, de Trotski, de Marie Guyart, de Champollion, puis au visage de Lorraine se superposait celui d'Axelle, sa joie d'enfant, ses bras autour du cou de Simone il y avait de cela si longtemps. Parfois les visages entraient en collision, puis ils repartaient dans plusieurs directions laissant ici et là dans la gorge un tourment, une douleur, un nœud. Les pas du gardien. Qu'est-ce au fond du regard qu'une vie ? Ce que l'on a vu et raconté, ce dont on évite de parler ou tout simplement ce que l'on a inventé et qui s'est perdu dans le temps à notre insu, très lentement comme on dit déjà une semaine de passée, dernier jour avant ton départ, trois bonnes années d'amour fou, sept ans de malheur, un quart de siècle en guerre ou un quart d'heure à attendre au coin d'une rue en hiver quelqu'un, quelque chose qui ne vient pas, ne viendra plus.

En passant devant l'urne dite royale, Simone répète pour elle-même urne, épaule, panse, hanche. Et soudain l'eau coule sur le corps ferme d'Alice. Leur vie commune réapparaît comme une alternance de moments précieux entre le manque d'eau sur les sites du passé et l'abondance de l'eau chlorée des salles de bain des hôtels qu'elles fréquentaient assidûment. Eau fraîche de la douche sous laquelle elles multipliaient les bouche à bouche, eau bouillante et apaisante des bains tourbillons,

jet d'eau caressant qu'elles apprenaient à bien
diriger sur leur clitoris et qui fendait le temps
en deux ou selon les circonstances en mille
fragments qui éclaboussaient le regard, allaient
doucement s'accoupler à l'idée du bonheur et
au sel des larmes. Urnes de vie et de quotidien
qui, tenues à bout de bras au-dessus de la tête
des femmes, s'illuminaient de leur énergie ou
qui, passant par leurs mains rudes et ridées,
versaient le liquide doux du lait dans la bouche
d'un enfant ou de l'eau fraîche entre les lèvres
sèches d'une vieille mère.

Sur les sites, Simone croyait souvent apercevoir dans la lumière du jour et la chaleur de
l'air tremblant une forme féminine allant de
par le lointain vers l'est et sa couleur pourpre
jusqu'à ce que soudain : un homme rattrape la
femme en la tirant par le bras qui, forcé de
lâcher l'urne et sa palmette, s'affaisse, impuis-
sant et muet comme un vieux sabre. L'homme
entraîne la femme. Un nuage de poussière
remplace la forme humaine. Simone fronçait
les sourcils et son regard frayait un passage à la
femme dans le lointain de manière qu'elle
puisse jouir de sa propre luminosité.

Alice aimait regarder Simone lorsqu'elle
était ainsi concentrée. C'était cette capacité
d'observation et de jugement d'une fiabilité
sans faille qui la rendait si séduisante. Dans le
regard de l'archéologue, il y avait on ne sait
quoi qui faisait penser à l'au-delà des choses,
mais comme Alice ne pouvait regarder simultanément Simone et l'objet de son regard, elle
n'arrivait jamais à bien reconnaître les objets de

réalité qui traversaient son champ de vision. Ainsi quand Simone plongeait ses yeux d'iris noir dans ceux d'Alice, celle-ci ne pouvait absolument pas deviner de quelle image Simone se nourrissait, s'apaisait, s'enflammait.

À Pétra, elle se souvient des frissons qui l'avaient parcourue quand pour la première fois elle avait vu ces tombeaux sculptés dans le grès rose et redevenus en partie matière brute au visage balafré sous l'effet du sable et du vent. Lorsque la nature exhibait des cicatrices à caractère hautement esthétique et surtout lorsqu'elle reprenait le dessus sur les formes artificielles qui lui avaient été infligées, Simone réagissait toujours avec une émotion si vive qu'elle en tombait parfois malade. Elle se rappelait maintenant ce Land Art dont Lorraine raffolait et qui leur avait valu quelques voyages en Arizona et au Nouveau-Mexique. Là-bas, elles allaient en quête d'installations, de sculptures, de formes insolites questionnant les motifs, l'orgueil et le mérite de ceux et celles qui s'adonnaient à cet art de plein air. Un art de mains d'œuvre et de jamais vu rempli de petits poings d'artiste enfoncés dans le ventre de la montagne. Cubes, tiges et spirales dessinés grandeur d'enfant dans le vaste désert aveuglant de lumière. Le manège insolite continuait. Ce matin même, Simone avait vu la photo d'un artiste new-yorkais debout comme un petit roi au milieu d'une foule couchée. Des centaines de corps nus étaient allongés, cordés comme des marchandises dans le seul but de faire naître une image entièrement ouverte à l'interprétation du croisement artificiel de la chair nue et de l'asphalte urbain.

Plus tard quand, sur les sites de Karnak et de Barheim, il fallut du bout de l'âme toucher la blancheur du temps et des os, Simone, déjà aux prises avec le temps ocre des crépuscules et le vent mauve des aubes, avait maudit le dieu de son enfance, et la vie qui lui avait enlevé Alice, sa doctoresse, sa femme savante de Sillery qui n'avait jamais osé manifester à d'autres qu'à Simone ce penchant amoureux qui, lorsqu'elle s'y abandonnait, la soulevait littéralement de terre et, ce faisant, la rendait encore plus désirable.

Les pas du gardien se sont arrêtés à l'entrée de la salle d'exposition. L'homme s'est rapproché au point de donner l'impression qu'il veut dire un mot à Simone. D'un signe de la tête, il la salue et sans plus s'en retourne lentement du côté de *La Débâcle* silencieuse poursuivre sa ronde.

C'était dans les hôtels que Simone et Alice avaient vécu la plus grande partie de leur vie amoureuse. Là, chacune oubliait sa vie officielle et le corps partait à toute vitesse vers un ailleurs que Simone regrettait parfois de ne pas pouvoir raconter dans un livre. « Oh ! c'est si bon. Tout le monde devrait savoir ce que nous faisons et avoir envie de le faire », disait Alice avec une telle naïveté que Simone finissait par sourire. Afin de conserver leur anonymat, elles avaient constitué au fil des ans une banque de prénoms au nom de fleurs et elles essayaient de faire concorder le nombre d'étoiles accordées à un hôtel avec le nombre de syllabes du nom de la fleur. Quatre étoiles : Marguerite. Trois étoiles : Hortense. Deux étoiles : Rose et Iris. Pour les noms de famille, elles n'utilisaient que des noms communs comme Tremblay, Vézina ou Richard. Pour les hôtels à cinq étoiles, elles changeaient la règle et signaient Iris Stein et Rose Globenski.

Le rituel était toujours le même, hésitation, excitation, désir fou dans le hall d'entrée, baisers volés dans l'ascenseur, explosion de voix garantie suivie d'un fleuve tranquille de mots doux une fois la porte de la chambre refermée sur leurs manteaux, leurs chapeaux, leurs gants, leurs robes et leurs jeans, leurs identités à multiples volets de chaleur au bas du ventre.

Debout devant une hydrie à figures noires, Simone s'attarde un moment au reflet de son visage dans la vitrine. S'il est vrai qu'en passant devant un miroir on croit pouvoir retoucher son image en replaçant de la main ses cheveux, en lissant ses sourcils avec un peu de salive ou en se passant la langue sur les lèvres pour les enrougir, il est tout aussi vrai de dire qu'il est risqué de se regarder intensément plus d'une minute puisque dix secondes suffisent amplement à reconnaître que ces yeux cesseront un jour de pétiller. Aussi il est tout à fait naturel de penser qu'une image de soi n'est jamais identique à une image de soi. Et pourquoi s'arrêter? pensait Simone. Ceux qui s'arrêtent ne le font que pour mieux relancer leur stratégie de vie, repenser la gestion de leurs activités et de leurs avoirs, ou pour se désintoxiquer d'un trop grand appétit de vie qui a fini par les marginaliser. Personne ne s'arrête pour oublier. Au contraire, pour oublier il faut foncer, filer à toute allure vers la mort en se prenant pour un athlète capable de tous les records. Penser son visage ne peut se faire qu'en dehors du miroir.

Sous les traits du visage de Simone, il y a l'enfant, la fille. Le visage de Lorraine. Une naissance. Les douleurs ont commencé. Le ventre est énorme. Elle ne voit pas ses pieds. Le ventre cache tout. Les douleurs déchirent le cerveau comme de grosses évidences dont personne ne parle et même si on en parlait, il n'y aurait rien d'autre à faire que de faire naître. Faire âme de ce corps, faire futur de chaque cellule.

Derrière un rideau, une femme crie qu'elle veut mourir. Le médecin dit que Simone respire bien. Il y a deux têtes d'homme au-dessus d'elle. Elle peut sentir les gestes rassurants d'une infirmière, puis le gynécologue déclare : césarienne. Elle dit oui, anesthésie, cinq, quatre, trois. Il n'y eut pas de deux, ni de un, seulement une toux douloureuse le lendemain et une Lorraine aux cheveux de jais et aux poings remplis d'ombre et d'énergie cosmique.

Mettre une date sur un événement, c'est en partie le reconnaître. Simone ne savait plus si Lorraine était née à une heure de la nuit, à une heure dix ou vingt. Elle ne pouvait pas savoir dans son sommeil artificiel à quel moment précis de l'histoire sa fille était née ; l'eût-elle su, elle l'aurait possiblement oublié tout comme sa mère n'avait jamais pu dire l'heure exacte de la venue en ce monde de sa cinquième fille, dans une chambre aux mille odeurs de vie et de mort de la rue Drolet. Tout ce qu'on savait, c'est que Simone était née en 1929, peu de temps avant le départ de son père pour Detroit d'où il n'était jamais revenu.

L'homme ne savait ni lire ni écrire en français, mais avec les années il avait appris l'anglais et au début de la guerre, Simone, qui devait avoir treize ans, se rappelait l'arrivée par la poste de longues lettres écrites par son père au sujet des nouveaux modèles d'auto et de ce qu'il fallait en penser. Il joignait parfois des dépliants et des calendriers qu'il fabriquait avec des photos de « gros chars » prises par lui-même. Avec le temps, il était devenu *calendar man* et bon an mal an, le calendrier, convoité par les frères et les cousins de Simone, arrivait par la poste de Sa Majesté au nom de laquelle ils iraient bientôt à la guerre.

Avec les années, le Musée de l'auto avait réservé un petit espace à l'œuvre du *French Canadian* Gustave Lambert. On pouvait y voir sa première caméra, une Kodak, et son dernier appareil-photo surtout utilisé entre 1945 et 1955. Il y avait aussi des photos, des articles de journaux parus sur sa collection. Tous les calendriers entre 1939 et 1954 étaient exposés. Pour créer un peu d'ambiance, on avait construit une chambre noire qui n'avait de noir que le nom et sur les murs de laquelle on pouvait voir des affiches de Coke et de Camel ainsi qu'une carte postale de Montréal. Debout, grandeur nature, un homme en carton tenait dans sa main droite une photo. L'homme portait un pantalon noir, une chemise blanche et des bretelles rouges. Il souriait. À l'époque, la photo de l'homme en carton représentant Gustave Lambert avait été publiée à plusieurs reprises dans *La Presse* et le *Petit Journal*. C'était la seule image qui restait de lui. Simone en avait une copie quelque part dans une valise jaune en peau de veau qui lui servait de tiroir à mémoire.

Pendant des années, Simone s'était documentée sur la ville de Detroit, sur les usines de montage, sur le fameux principe de Taylor qui avait inspiré le modèle de la fabrication en chaîne utilisé dans les usines de montage : spécialisation stricte, suppression des gestes inutiles, utilisation maximum de l'outillage. Et pendant longtemps elle s'en était elle-même servie sur les sites pour conduire ses équipes.

Loin n'est pas le lointain, pensait Simone. Ici dans mon musée loin de mon enfance montréalaise et de ce que fut ma vie ailleurs, toujours ailleurs, je suis si près de ce que je suis vraiment dans ma course à relais au milieu des civilisations et de leurs restes d'or et de pierre. Disparaître dans la bouche des pierres qui n'épousent jamais rien d'autre que le vent, le froid, la chaleur incandescente des grandes coulées de lave au hasard des versants et des penchants.

Les urnes, malgré leur fragilité, avaient traversé les siècles, protégées par l'ensevelissement et le manque d'air. Soudain le nom

Siècles lointains que Simone avait donné à l'exposition ne semblait plus s'appliquer au passé mais bel et bien au futur. Siècles lointains qui serviraient de miroirs à d'autres cultures appartenant à notre espèce. Siècles d'où les savants se pencheraient sur nos ruines. Tchernobyl et son parc d'enfants au silence rempli de radiations, la mer de Barents et ses villes sous-marines, siècles lointains où le temps et l'espace seraient implantés dans le corps comme s'il existait un deuxième niveau d'entendement au temps et à l'espace. Pensées allant de soi et ne nécessitant plus ce long traitement de la parole qui avait si souvent compliqué les relations. La notion de demain, le sens d'aujourd'hui. Le désir, un laps de temps, un lapsus plié comme un journal intime sous le bras. Le temps subjectif qui refait surface chaque fois qu'une nouvelle technologie en surpasse une autre ressemblerait-il à un ventre de femme sur lequel on peut poser son propre silence et quelques notions de devenir à propos des étoiles ? Qui aujourd'hui prenait le temps de voir venir les ruines de demain assurait son avenir financier. Les ruines de l'éphémère seraient de plus en plus nombreuses. Désormais multidirection-nel, le temps pouvait à tout moment changer de direction, tourner sur lui-même, partir en peur vers le passé, revenir au même, se trans-former en *hacker* et ruiner en douceur nos vies linéaires.

Vingt-heure quatre minutes et dix secondes. La nouvelle est tombée dans le cellulaire de Simone Lambert comme un coup de hache sur

l'oreille. La nouvelle est tombée dans le cellulaire de Simone comme un enfant de deux ans
en bas d'un cinquième étage la nouvelle est
tombée dans le cellulaire *kom* un coup de lame
dans la gencive la nouvelle a fait un bruit de
mouche noire dans le cellulaire la nouvelle s'est
répandue dans le corps de Simone a déversé
des tonnes de toxines dans son cerveau a laissé
un petit filet de salive au coin de sa bouche a
décousu le fil tranquille de la vie la nouvelle a
fait froid dans le dos de Simone l'a clouée devant
la niche numéro 7 de l'exposition *Siècles lointains*. Le gardien est réapparu devant l'entrée,
hésitant devant le regard hagard de Simone.
On venait de retrouver Fabrice Lacoste sans vie
dans la pinède de l'île des Princes (*Büyükada
en turc, Prinkipos en grec*) non loin du Bosphore. Son corps avait été retrouvé à l'aube par
un marchand de lokoums qui passait par là. Le
cadavre portait des marques de violence dont
on ne connaît pas pour le moment l'origine.
La dépouille ne pourrait être rapatriée avant
que l'enquête ne soit terminée. L'ambassade
du Canada venait de téléphoner à la sœur
de Fabrice. « Puis-je faire quelque chose », a
demandé Simone. « Pour le moment, non.
Merci cependant de transmettre la nouvelle à
ceux et à celles qui l'aimaient. Je pars demain
pour Istanbul avec mon mari. Vous pourrez
me rejoindre à l'hôtel Kybele. À Québec, ma
sœur Louise vous donnera plus de renseigne-
ments dès qu'elle le pourra. »

Une demi-heure plus tard, les gestes sont
revenus. Simone est retournée dans son bureau.

Elle a fait quelques appels. Rue Dalhousie, il faisait encore clair quand Simone est sortie du Musée. Elle a pris la rue Saint-Pierre en direction de la rue Saint-Paul. Devant l'hôtel Dominion, deux hauts fonctionnaires du ministère de la Culture conversent en gesticulant. Il y a beaucoup de touristes autour de la sculpture d'Arnoldin Hébert Purdy. L'eau de la fontaine ruisselle doucement sous la vivrière impassible. La pénombre s'installe. L'odeur de l'effacement, pense Simone qui après être revenue sur ses pas enfile la rue Saut-au-Matelot jusqu'à la côte de la Montagne. Là-haut, les canons en rangée ressemblent à de grands loups noirs hurlant à la lune. Elle passe devant l'obsédant fantôme du Château Frontenac, se dirige vers la terrasse Dufferin, s'assoit quelques minutes sous un belvédère qui surplombe le fleuve. Autour d'elle, les gens boivent des « liqueurs douces » ou lèchent leur cornet de crème glacée en multipliant les anglicismes. Elle remarque une tache sur son tailleur. À plusieurs reprises, elle passe machinalement la main sur ses genoux. L'instant d'après, le regard anxieux, elle se dirige lentement vers le grand escalier de bois qui mène au cap Diamant. Puis il y a les plaines d'Abraham où elle tourne en rond pendant une heure en ayant l'impression d'être une cible facile. Dans la douceur du soir, elle choisit de baisser la tête et de se concentrer sur les petits cailloux qui se logent dans ses sandales et l'herbe pleine de rosée qui chatouille les orteils. Puis, au milieu d'une phrase qui l'obsède, elle lève la tête, revient sur ses pas. Sur la terrasse

Dufferin, un amuseur public chante la pomme à des chiens dociles qu'une foule en demi-cercle applaudit à tour de bras en bloquant le passage à des gens qui, comme Simone, ne savent plus trop bien où aller et dont le cœur est gros comme un dictionnaire rempli de mots inutiles. Dix minutes plus tard, au moment où elle est sur le point de héler un taxi, une femme frôle le bras de Simone. En levant les yeux vers l'inconnue, Simone remarque que les lumières de Lévis commencent à scintiller comme de petits singes avec des lueurs fortes dans les yeux. La douceur du vent. Le temps des lilas ramène d'un coup de parfum les pensées vers le passé. Le mois de mai fait tourner la tête. La vie. Simone ne termine pas son geste, le taxi continue sa marche. D'un pas déterminé Simone se dirige vers l'hôtel Clarendon comme, il y a si longtemps, Rose Globenski aimait le faire à bout de souffle en compagnie d'Iris Stein.

Hôtel Clarendon

Le bar comme décor (ou la fête comme circonstance) nourrit toujours des attentes. L'alcool qu'on y sert peut à tout moment délier les langues et inciter au délire de la vérité. Tous les conflits sont possibles, il faut seulement les encadrer, les renouveler, parfois les laisser brûler sur scène comme un tas d'ordures. Comment nourrir un conflit de manière à le rendre exemplaire est une question qui ne nous concerne pas.

Nous sommes ici devant quatre personnages de femmes. Un lien de parenté unit la plus jeune (Axelle) et la plus âgée (Simone), une relation de travail existe entre cette dernière et la Narratrice et une relation circonstancielle fondée sur un jeu d'affinités s'est développée entre Carla et la Narratrice.

Le fait qu'aucun élément générateur de conflit (compétition, antagonisme, désaccord) n'intervienne entre les femmes rend particulièrement difficile l'inscription de moments d'extrême tension, voire même de violence verbale dont le théâtre est en général tributaire. En effet, pas de couple, pas de lien viscéral ou passionnel. Pas de jalousie, de haine, d'amour. Pas d'intimité, pas de quotidien entre les personnages. On peut d'ailleurs se demander à partir de quel degré d'intimité naissent les conflits majeurs c'est-à-dire ceux dont la portée est symbolique.

Parler est une activité qui aide à surmonter la solitude. Au théâtre, parler va de soi et n'est jamais tout à fait inutile. Certes, il existe un théâtre où, sous l'apparence de phrases anodines, on laisse courir un feu puissant pouvant à tout moment se transformer en déflagration terrifiante.

L'éclairage : comme dans les musées, l'éclairage joue ici un rôle majeur. Dans le bar, il peut être d'un blanc translucide mais aussi de ce jaune qui rappelle les petites trouées de lumière qui scintillent dans les villes à partir d'une chambre, d'un salon ou d'une cuisine. La magie de l'éclairage est ce qui donne une existence au paysage de la réalité. La réalité est ici absolument théâtrale. On en a fait le pari. Sur les visages, l'éclairage pourra être tantôt cru, tantôt caressant.

Le son : trame sonore numérique composée de murmures, de chuchotements, respiration et battements du cœur. Quelques mots isolés, répétés comme des motifs sériels. Airs de jazz en suspens ; ici et là une mélodie.

On entend les dernières notes de Sophisti-cated Lady. *De style Art déco, le bar de l'hôtel Clarendon est renommé pour ses soirées de jazz. Selon les soirs, on y trouve de vieux musi-ciens joviaux, de jeunes compositeurs ardents et de temps à autre des chanteuses à la voix de cigales et de blues. Au centre de la pièce, un piano entouré d'un comptoir en demi-cercle et de quatre tabourets. Des tables, des chaises. Très peu de fumée. Une des tables est occupée par la narratrice et Carla Carlson en grande conver-sation. Pour le moment, impossible d'entendre leurs paroles. Des gens arrivent et s'installent aux autres tables.*

Axelle Carnavale entre dans le bar. Toutes les tables sont occupées. Elle hésite un moment, puis se dirige vers la table de la narratrice et de Carla où, après un bref échange, elle s'assoit discrètement, le plus loin possible pour ne pas déranger. La narratrice et Carla poursuivent leur conversation. Axelle n'entend pas ce qui se dit car les mots se perdent ici et là dans le brouhaha fluide de la musique et de la résonance flûtée des bruits de verre et d'argent sonnant.

SCÈNE 1

Carla :
On ne peut jamais savoir ce qu'il adviendra d'un personnage. Ce que la fiction lui fera dire ou taire. On sait seulement que sa vie est toujours en danger. Que la menace rôde et que c'est elle qui organise son destin, dessine ses gestes, alimente son désir. Le personnage parle souvent fort parce qu'il doit absolument se faire remarquer, se détacher de ceux et de celles qui vont leur chemin, grandeur réalité, grandeur simplicité.

Narratrice :
Et si le personnage est une femme, est-ce que ça fait une différence si le personnage est féminin ?

Carla :
Rien ne nous oblige à penser qu'un personnage féminin est nécessairement une femme.

Narratrice :
Tu veux rire !

Carla :
Absolument pas. On peut vivre au féminin et détester les femmes. Aimer sa mère comme si elle était dieu et ne pas pouvoir endurer les autres femmes. Tu me passeras l'expression, mais beaucoup de philosophes sucettent le sujet à longueur de journée comme s'il avait une saveur particulière. C'est à la fois simple et compliqué. Par exemple, moi, je travaille avec l'idée que père mon papa le vieux le ficelé est un personnage féminin. Tout personnage qui vit au cœur de son enfance peut être dit féminin. Dès qu'il en sort, il reprend de l'âge, sa grisaille ainsi que sa poussière d'adulte et de quotidien. Tu vois, c'est ça la contradiction qui agit sur nous comme un mauvais sort. Tout le monde s'émeut de l'infinie tristesse du féminin, mais personne ne s'intéresse aux femmes. *(Simone entre, s'installe au bar. Salue les gens autour d'elle. Les spectateurs entendent la conversation entre Carla et la narratrice. Simone non.)*

Carla :
L'obligation de faire parler un personnage transforme sa nature. On ne sait rien d'un personnage tant qu'on ne l'a pas vu exister dans son corps, tant qu'on ne l'a pas entendu parler, fait parler, vu sourire, pleurer, crier, respirer. Manger et mâcher ses mots.

Narratrice :
Tout cela se décrit, non ?

Carla :
Je sais, mais c'est autre chose. Un personnage
ne fait jamais semblant d'être vivant : il est
vivant. Il peut mourir devant toi à n'importe
quel moment.

Narratrice :
J'ai toujours imaginé les personnages de
théâtre comme des être doux capables de
s'adapter à tous les jeux de miroirs et même
aux fausses étreintes pendant que la réalité
s'enroule autour d'eux comme un lierre joyeux
ou un récit incontournable.

Carla :
Le personnage de théâtre est souvent violent
parce qu'il est constamment menacé. Sa violence est proportionnelle à sa fragilité. Plus il
tente d'échapper à la fiction, plus il se montre
dur et impitoyable. Tu ne veux toujours pas
lire mon manuscrit ?

Narratrice :
Non, Carla, pour le moment, je ne veux rien
lire.

SCÈNE 2

Simone se lève pour aller téléphoner. Elle aperçoit la narratrice qu'elle salue distraitement. À son retour dans la salle, la narratrice vient vers Simone. On comprend qu'elle l'invite à s'asseoir à sa table. Simone accepte.

Narratrice :
C'est Carla Carlson de Saskatoon. Romancière. Elle ne parle jamais de nous dans ses romans, mais elle vient toujours terminer ses manuscrits ici, au bord du fleuve, collée sur notre histoire. Carla, je te présente Simone Lambert, la directrice du Musée de la civilisation.

Simone :
Soyez la bienvenue dans les murs de notre mémoire collective et de notre citadelle à touristes. *Simone regarde la narratrice un temps. Les bruits d'ambiance diminuent, cessent graduellement.* Il y a environ deux heures, on m'a téléphoné. Au sujet de Fabrice. C'était pour

me dire qu'il… c'était pour m'annoncer qu'on avait retrouvé son corps dans la pinède du parc des Princes à Istanbul. Il était déjà mort depuis quinze heures. J'ai parlé à sa sœur. Pour le moment, il n'y a rien d'autre à faire que d'attendre.

trou noir [tomber dans le temps, dans la pure fiction que constitue toute disparition brusque et inattendue. Déchirement. Partout dans le monde, les gens frottent des objets. Partout dans la vie, les femmes lavent corps, vêtements et objets. Partout des corps disparaissent après avoir été examinés, lavés, embaumés; observés une dernière fois dans leur étrange fixité par un autrui qui, la gorge nouée et les yeux allumés par des pensées de vengeance ou une infinie tristesse, se perd dans une obscurité à laquelle aucune de ses habitudes ne l'avait préparé. La mauvaise nouvelle va directement au cerveau/ couper l'électricité, puis, d'un seul coup, elle précipite du côté obscur des entrailles, de la salive et des larmes où il n'y a pas de mots pour traduire]
trou noir impossible à enjamber

Narratrice :
Attendre quoi? Qu'il ressuscite!

Carla :
Qui est Fabrice Lacoste?

Simone :
Je m'excuse. Il n'y a pas de façon heureuse d'annoncer la mort de quelqu'un. Fabrice est

mort. (*silence*) Je suis épuisée. J'avais rendez-vous avec ma petite-fille. Il y a si longtemps que je ne l'ai vue. Je serais incapable de la reconnaître. *(Elle dit cela en regardant Axelle. À partir de ce moment, celle-ci semble s'intéresser à la conversation. Peu à peu, on comprendra qu'elle a reconnu Simone Lambert).*

Carla :
Vous n'avez aucune photo d'elle ?

Simone :
Nous avions rendez-vous dans un restaurant tout près d'ici. La nouvelle de la mort de Fabrice m'a plongée dans un été second, pardon, état second. Je suis entrée ici par habitude. Les morts se multiplient, on n'a pas idée.

Narratrice :
Comment est-il mort ?

Carla :
Qui est Fabrice Lac…?

Narratrice (*énervée*) :
Le conservateur en chef du Musée.

Simone :
On ne sait pas. Je ne sais pas. Sa sœur ne savait rien. J'ai essayé de joindre l'Ambassade. Tous les bureaux étaient fermés. Vous connaissez les nuits le long du Bosphore ? À cette période de l'année, elles sont douces à vous blesser, à faire remonter en vous les plus belles images de

votre vie. La nuit se remplit de sons mystérieux et vous veillez avec des étrangers comme si c'était la seule chose à faire. Vous n'avez peur de rien, vous êtes heureuse pendant que vos yeux cherchent dans la nuit parfumée un nom pour chaque étoile, un mot pour saisir le vent de folie qui se lève en vous alors que vous essayez de comprendre comment, le corps collé à la mémoire, vous n'arrivez cependant pas à éprouver autre chose que du pur présent. (*se tournant vers Carla*) Vous êtes de la Saskatchewan?

Carla :
De naissance si je puis dire. Mais je me suis donné un genre français depuis si longtemps que je suis la seule à savoir d'où je viens.

Simone :
Qu'est-ce que vous appelez un genre français?

Carla :
Une façon d'imaginer que le monde vous appartient et qu'il n'attend qu'un mot de vous pour exister.

Simone :
Je vois que vous avez beaucoup voyagé ou beaucoup lu. Le voyage et la lecture ont en effet cette capacité de nous changer au point où on en arrive parfois à se prendre pour quel-qu'un d'autre. Nietzsche par exemple aimait se faire passer pour un comte polonais.

Carla :
C'est à cause de ma mère. Sans elle, je ne me serais jamais prise pour une autre. Elle me parlait sans arrêt du philosophe René Descartes qui était venu à Stockholm exprès, disait-elle, pour mourir à la cour de la reine Cristina. Un jour, j'ai vu un film avec Catherine Deneuve. J'avais huit ans. À partir de ce moment-là, je me suis intéressée à la France. J'ai commencé à voler les bâtons de rouge à lèvres de ma mère et à jouer des rôles de grandes folles. Plus tard, je me suis mise à réclamer à grands cris d'épée la tête d'un cardinal dont j'avais vu le portrait dans un livre de classe d'une petite Canadienne française. Peu à peu mon épée s'est transformée en sabre et je me suis vue naviguant sur l'Atlantique avec un perroquet sur chaque épaule.

Narratrice :
Je n'arrive pas à croire que Fabrice est mort. Pfitt ! Vlan ! Comme ça. Slack ! Disparu comme ça d'un coup de hasard. Slack ! Voici un homme, voici un cadavre. La mort avale fort.

Simone :
Calmez-vous. Vous étiez très liés ?

Narratrice :
Il m'arrivait quelquefois de descendre à Montréal avec lui. Nous parlions théâtre, peinture, voyages. Il parlait très peu de lui. Je veux dire de sa vie privée. C'était un homme qui cultivait

ses gestes et sa voix. Ses blessures aussi. Il n'y avait rien de naturel chez lui.

Simone *(comme si elle n'avait pas écouté* la *réponse)* :
C'est la troisième fois.

Narratrice :
Troisième fois quoi ?

Simone :
Les morts subites détruisent. Je veux dire, la vie de ceux et de celles qui restent. La mort subite est comme une grande épingle qui empale ce qu'il y a de plus précieux en nous et qui n'est pas le cœur. Quand la mort, quand la subite se dresse, elle lacère d'un seul coup tout ce que vous avez de peau, de pauvre peau pour vous protéger contre le temps et les yeux méchants du destin qui ne demandent qu'à vous avaler d'un seul coup. Le jour où on m'a annoncé la disparition de ma fille, je me suis évanouie. Six heures plus tard, j'étais dans un avion pour le Mexique. C'était en juillet. Des pluies diluviennes avaient commencé à tout effacer. Traces d'autos, de camions, de chiens. Partout des flots de boue. La chaleur m'en-fiévrait. Je revenais dans un pays que je con-naissais bien pour l'avoir aimé, agenouillée dans la rocaille sous le soleil ardent, fouillant la terre, remuant du pic et des mains une boue ocre et sablonneuse dans l'espoir de rencontrer le vif regard onyx d'un jaguar ou les écailles

luisantes d'un dieu serpent. (*silence*) Excusez-moi.

Carla :
La souffrance qui nous garde à mi-chemin entre le malheur et la fiction est détestable. On la dirait parfois taillée sur mesure pour nous vider de tout notre sang.

Simone :
Vous êtes superstitieuse ?

Carla :
Non, je suis romancière. Je cultive tout juste ce qu'il faut d'humour pour ne pas rester accroupie dans la souffrance.

SCÈNE 3

(On entend la fin de I've got a date with a dream. *Applaudissements. Temps de repos pour les musiciens. Axelle commande un jus d'orange. La serveuse dit :* «One orange juice.» *Axelle répète : «Oui, un jus d'orange s'il vous plaît.» Elle prononce distinctement chacune des syllabes comme si elle venait de faire une déclaration politique.)*

Narratrice :
Je vous imaginais célibataire.

Simone :
Je le suis de nature.

Narratrice :
C'est une étrange sensation que de vous imaginer mère, grand-mère surtout.

Simone :
Ce n'est pas la peine d'en faire tout un plat. Il faudrait que je retourne téléphoner. Je ne sais

rien d'elle. Toute cette histoire est absurde. J'ai l'impression d'être en train de vivre une histoire qui ne m'appartient pas.

Axelle (*intéressée par la conversation*) :
Excusez-moi, vous n'auriez pas un crayon à me prêter ?

Carla :
Vous êtes d'ici ? Vous êtes ici en touriste ? *Like me.*

Axelle :
Je participe à un congrès.

Simone :
Vous êtes bien jeune.

Axelle :
Est-ce un défaut ?

Simone :
C'était un compliment.
(*Axelle est mal à l'aise, elle reprend sa place au bout de la table.*)

Carla :
Toute ma vie j'ai rêvé de vivre en étrangère. Je ne me sens bien que lorsque je suis ailleurs. C'est comme au théâtre, les pièces que j'aime se passent toujours entre étrangers, jamais en famille.

Narratrice :
« Famille, je vous hais », *Électre, Hamlet, Marcel et les chiens, Le malentendu, A long hot summer night*. Pour le drame et la tragédie, il vaut mieux rester en famille. La haine et l'instinct de possession y sont autrement plus fertiles.

Simone :
Aucun doute, Carla, que vous négligez là un terrain fertile.

Carla :
Mon malheur d'écriture, c'est d'avoir grandi dans une famille heureuse. J'en suis réduite à inventer mon père et ma mère comme des objets singuliers qui pourraient être la cause de feux d'artifice, d'explosions verbales, de chuchotements mystérieux.

Narratrice :
Tu exagères. (*sur un ton sympathique*) Écris ce que dois et ne nous afflige pas avec ta famille heureuse. De toute façon, famille heureuse ou pas, on finit toujours par être en deuil de sa mère.

Simone :
Vous avez encore vos parents ? Je veux dire, ils sont encore vivants ?

Narratrice :
Ma mère est morte, il y a deux ans. Depuis j'ai quitté Montréal pour venir travailler ici, dans votre musée. Vous savez, Simone, c'est

un plaisir de travailler avec vous, pour vous, si vous préférez. (*Axelle a levé la tête en entendant le nom de Simone.*) Ce projet d'exposition dont je vous ai parlé il y a quelque temps, j'y tiens. Beaucoup. J'aurais besoin d'une permission spéciale pour consulter quelques documents qui se trouvent à la bibliothèque du Centre canadien d'architecture.

Simone :
Nous parlerons travail un autre jour, voulez-vous. Je suis lasse. Profitons un peu de la musique et de la nuit. Il y a longtemps que vous connaissez Carla ? (*sans lui donner le temps de répondre*) Je la trouve fort sympathique. Pendant longtemps j'ai rêvé d'être romancière. Maintenant que j'ai atteint l'âge respectable d'écrire mes mémoires, le goût de romancer s'en est allé. De toute manière, ce n'est plus tellement à la mode de romancer. Aujourd'hui, on documente. Tout. On dirait que les gens veulent consommer cru. Les événements, les émotions, les gestes. Pas de réchauffé. Tout doit être cru. Saisi sans apprêt, en temps réel où comme on le sait il ne se passe rien de particulièrement intéressant sinon qu'en principe on est là sans y être réellement.

Carla :
Une fois qu'une chose est écrite, un geste, par exemple, *Simone se fait couler un verre d'eau en regardant distraitement par la fenêtre* ou une sensation, *il y a une bonne odeur de café dans la maison*, une fois écrite et surtout une fois

imprimée, la phrase ne pourra plus jamais exister en temps réel. Elle passe à tout jamais du côté de la fiction, c'est-à-dire là où nous ne sommes pas, ce qui par le fait même nous oblige à imaginer pour comprendre. C'est grâce à ce phénomène qui constitue le miracle même de la littérature que beaucoup de romancières et de romanciers contemporains ne doutent pas de l'intérêt que peuvent représenter, une fois documentés par l'écriture, leurs gestes, leurs élucubrations et leurs soupirs les plus insignifiants. Vous avez raison, Simone, aujourd'hui, on documente tout comme s'il fallait collectionner chacune de nos pensées et chacun de nos gestes pour éviter d'être avalés par l'éternel présent qui lisse tout indifféremment sur son passage.

Narratrice :
Ruines : temps mort, temps fort du désir. C'est le titre que j'aimerais donner à l'exposition. Vous connaissez ce livre intitulé *Le Territoire du vide* ? C'est un texte qui abrite une nostalgie majeure, souterraine qui met en relief des mots fatals comme suicide, monstre, catastrophe. Ténèbres. Ne riez pas. « Ténèbres » est un mot contemporain tout comme blocs erratiques ou gouffres naturels sont des expressions qui accompagnent nos vies de tous les jours.

Carla :
Ce ne serait pas plus simple de dire « vies quotidiennes » ?

Narratrice :
Nos vies de tous les jours ne sont pas quotidiennes. Si elles l'étaient, nous n'aurions pas
peur du vide. Il y a quelque chose de reposant
dans le mot « quotidien » alors que « tous les
jours » est comme un avertissement, comme si
le malheur pouvait se jeter sur nous à tout
moment, à n'importe quelle heure, nous liqui-
der d'un coup de pattes et de hasard.

Simone (*sur un ton détaché et bienveillant*) :
Qu'est-ce que vous aimez dans ce livre ?

Narratrice :
Les paysages de la mer et de ses bords à fan-
tasmes. Le livre noie la mer dans son propre
spectacle avec ses digues, ses rives, tempêtes,
naufrages et immensité. Il place la rencontre
du corps et de la mer avant tout il prend l'âme
par surprise. Le temps y est un paysage pour
voyageurs et voyageuses ouverts à l'idée de
blessure... (*la narratrice plonge dans ses pensées
puis elle finit par conclure comme si elle avait
enfin trouvé le bon mot*)... c'est un livre ouvert
à l'idée de vestiges.
(*Les musiciens s'installent.*)

Carla :
Quelle expression bizarre (*songeuse*) « un livre
ouvert à l'idée de vertige ».

Simone :
De vestiges.
(*La musique commence. Carla et la narratrice font signe à Axelle de se rapprocher.*)

SCÈNE 4

Narratrice :
Croyez-vous que nous soyons vraiment nous-
mêmes lorsque nous rêvons ?

Carla :
Qui d'autre serions-nous ? On est toujours soi-
même quelles que soient les circonstances, peu
importe que l'on soit en train de mentir, de
tricher, d'assassiner, de dire la vérité ou de
jouer Pirandello. Il n'y a pas vraiment de fuite
mais on peut jouer, c'est certain. J'aime l'idée
du maquillage, de la mimique trompeuse.

Simone :
De masque et de mascarade. « Dès le VIᵉ siècle,
Thespis barbouille de vin et de céruse son
acteur ou le dissimule sous un linge blanc. Au
Vᵉ siècle, Phrynicos impose le masque aux rôles
féminins, puis Eschyle le perfectionne [...] Un
des masques anciens s'appelle le Gorgoneion.
Hésiode raconte que les Gorgones, dont la

plus illustre est Méduse, sont trois sœurs mons-
trueuses, filles du Vieillard de la mer. Leur face
d'abîme (visage gonflé, rond et coléreux, cheve-
lure de serpents, nez écrasé, bouche immense)
stupéfie qui les regarde. Persée, quand il veut
délivrer Andromède de son rocher, décapite
Méduse, en prenant soin, grâce à un miroir,
de ne pas la regarder, emporte sa tête dans un
sac et l'utilise comme arme pour pétrifier le
monstre gardien d'Andromède. »

Axelle :
Je suis certaine qu'il y a en nous un moi virtuel
qui donne espoir de ne pas toujours être soi-
même.

Narratrice :
Demandez votre moi virtuel ! Clone de ma
mère, dis-moi qui est la plus belle, d'elle que
voici ou d'elle là-bas qui sera moi.

Axelle :
Ne vous moquez pas.

Simone :
« La fonction du masque est d'annuler les effets
du temps et le temps même. »

Carla :
Tout change tellement vite. Ça _____
m'angoisse. Certains jours, on se dit que rien
n'a vraiment changé, que nous sommes encore
les mêmes. Faux ! Nous sommes si pressés.
Pressés comme des citrons, branchés sur du

neuf toujours plus nouveau. Être pressés sans être en état d'urgence change notre nature. Les nouveaux serfs, c'est nous. Bien branchés. (*se tournant vers Axelle*) Comment vous appelez-vous ? Voulez-vous qu'on se tutoie ?

Axelle :
Axelle.
(*Simone la regarde intensément. Axelle détourne les yeux.*)

Simone :
C'est un nom rare.

Carla :
Il y avait un patineur suédois qui s'appelait ainsi.

Axelle :
C'est ce que racontait ma mère quand j'étais enfant.

Simone (*dont la voix vient de changer*) :
Il y a quelques années, Fabrice Lacoste avait voulu monter une exposition de masques véni- tiens. J'étais contre. De tout mon être j'étais contre. Je trouvais qu'il y avait quelque chose de futile dans cet étalage de masques qui me semblaient n'être que des pièges à séduction, à mensonges et à perversion. En ce temps-là, je n'avais en rien l'esprit ludique qui m'habite aujourd'hui ; pourtant au fil des mois, Fabrice avait réussi à me convaincre. On n'a pas idée à quel point la douleur ou plutôt la volonté de ne plus souffrir dicte nos choix, nos opinions,

commande nos décisions. À l'époque, je voyageais beaucoup. Une amie m'accompagnait souvent. Cette année-là, nous devions nous rendre à Venise. C'était en février, à un moment de l'année où une partie de la ville est inondée, humide et froide. Peu importe le travail qui m'attendait là-bas, nous avions décidé que ce voyage serait inoubliable et nous avions fait le pari que nous réussirions à transformer la pluie et le brouillard en spectacle et pur plaisir de vie. Il ne restait que deux jours avant notre départ. Les valises étaient prêtes et se tenaient dans un coin du salon comme deux superbes chiens de race. Dans quelques minutes, la nuit et sa vieille encre de silence balayeraient le paysage. Debout devant la fenêtre, je regardais le fleuve et Lévis tout en parlant du Grand Canal et de Cannaregio. Je sentais les gestes d'Alice derrière moi, son va-et-vient autour de la table où nous allions bientôt prendre place pour un repas comme nous les aimions avec saumon fumé et *prosecco*. Parfois, le reflet de son corps joyeux surgissait dans la *bay-window*, disparaissait aussitôt pour faire place au scintillement des lumières sur l'autre rive. Je me souviens d'un bruit, de la lumière chancelante. Je me suis tournée vers Alice. Elle tombait, elle tombait au ralenti son cœur battait sa joue frappait durement le sol au ralenti l'âme d'Alice se répandait dans toute la pièce, m'étreignait. Deux jours plus tard, Alice est morte entourée de son mari et de ses deux enfants. Pour la famille, pour l'hôpital, je n'existais pas. Je ne fis d'ailleurs rien pour exister à leurs yeux.

Je ne cherchai pas à ébruiter notre relation. Cette année-là, je ne sais pas pour quelle raison climatique, les rues de Québec étaient sans neige. Je me souviens d'avoir marché une partie de la nuit dans les rues d'une ville qui m'était parfaitement devenue étrangère. Sous mes bottes, je pouvais sentir les grains de sable et de sel se défaire dans un grincement continu et nerveux. Qu'il n'y eût pas de neige comme à l'accoutumée suscitait en moi un sentiment de frayeur inexplicable. J'ai marché une partie de la nuit, puis je suis venue dormir ici même dans cet hôtel où l'on me connaissait sous le nom d'Iris Stein. Vingt ans plus tard, quand Fabrice me parla pour la première fois de son projet d'exposition sur les masques, je ne sus que hurler ma désapprobation.

Narratrice (*pour elle-même*) :
Fascinant cette sensation de bien-être et d'inquiétude qui s'installe lorsque quelqu'un raconte avec détachement une histoire qui donne l'impression d'avoir le vent dans les voiles et la solitude bien tassée au fond d'un baril de poudre.

Carla :
Hier, je suis restée pendant quelques minutes à écouter les cloches d'une église dans le quartier Saint-Roch. Je croyais être en train de ne penser à rien lorsque je me suis revue à Saskatoon, un jour de mai, assise sur un banc face à la rivière qui ondulait dans un mélange de mots exquis dont le sens était accentué tantôt par le vent,

tantôt par la lumière et le bruissement continu des insectes encore nombreux à cette époque de l'année. La journée était parfaite, le ciel absolument bleu. Je pensais à ma mère retournée vivre en Suède après la mort de mon père. Chaque fois que quelqu'un meurt, un autre s'en va ailleurs. On dirait que la mort déplace constamment les populations. Je pensais à ma mère et l'idée m'était venue de créer des personnages dont les propos pourtant contemporains les auraient cependant rendus anachroniques. C'était peut-être pour moi une manière toute naturelle de déjouer la tristesse et de la recadrer dans un paysage plus tolérable. Les personnages avaient défilé devant moi, puis comme dans mon enfance, je les avais fait disparaître en prenant leur place. Ce matin-là d'une journée parfaite, je m'étais apparue comme une de ces masses imprécises et troublantes que l'on voit dans les toiles de Francis Bacon. J'étais devenue jaune comme la mort.

Narratrice :
Dans aucune civilisation, on n'associe le jaune et la mort.

Simone :
Pas si vite. « Le jaune est la couleur de l'éternité comme l'or est le métal de l'éternité. C'est aussi au milieu de ces ors, de ces jaunes que les prêtres catholiques conduisent les défunts vers la vie éternelle. Dans les chambres funéraires égyptiennes la couleur jaune est la plus fréquemment associée au bleu, pour assurer la survie de

l'âme puisque l'or qu'elle représente est la chair du soleil et des dieux. »

Axelle :
I'm sorry but I cannot follow. Je ne comprends rien à ce que vous dites.

Carla :
Moi non plus. *That's why I like so much this idea of cheating on reality.*

(*Simone se tourne vers Axelle et lui murmure quelque chose d'inaudible pour les spectateurs.*)

SCÈNE 5

Simone et Axelle sont assises à la table pendant que la narratrice et Carla se sont rapprochées du piano pour écouter. Les dialogues se feront en alternance de la table au piano.

Simone :
Vous aimez le jazz ?

Axelle :
Je suis ici par hasard. J'avais un rendez-vous qui n'a pas eu lieu.

Simone :
Moi aussi. Je devais rencontrer quelqu'un de votre âge.

Axelle :
C'est ma première visite à Québec. Je suis originaire de Montréal, mais je n'ai pas grandi au Québec. C'est comme un pays étranger. Parfois, il me vient des images du passé, mais je ne sais plus si c'est quelque chose que j'ai lu ou

vécu. Mon travail est exigeant. Je n'ai guère le temps de penser à mes origines. De toute manière, qui, dans vingt ans, pourra encore parler de ses origines culturelles avec certitude ?

Simone :
La personne que je devais rencontrer... vous savez, j'ai rarement l'occasion de parler à des gens de votre âge.

Axelle :
Moi, je suis très souvent avec des gens plus âgés que moi. La plupart pourraient être mes parents.

Simone :
Ça vous déplaît ?

Axelle :
Je ne fais pas vraiment attention. Sauf si on me regarde de haut. En général, je rencontre les gens pour mon travail. Je me contente d'être efficace et je demande aux autres d'en faire autant. Je n'aime pas qu'on me prenne seulement pour une jeune femme. Ça m'empêche de réfléchir, de penser.

Simone :
Penser *straight* comme on dit parfois.

Axelle :
Penser tout court. Par exemple, je ne vous connais pas, mais il est possible que vous soyez

déjà en train de vous demander si je suis
fiancée, mariée ou si j'ai des enfants.

Simone :
Pas du tout. Et puis peut-être que oui. Après
tout, vous avez l'âge de la fille de ma fille.

Axelle :
Pourquoi ne dites-vous pas « vous avez l'âge de
ma petite-fille » ?

Simone :
Je ne sais pas. Peut-être à cause du mot « petite »
qui laisse toujours supposer qu'on a affaire à
une enfant.

Axelle :
C'est la personne avec qui vous aviez rendez-
vous ?

Simone :
Oui. Je ne l'ai pas vue depuis quinze ans.

Axelle :
Êtes-vous certaine que ça en vaille la peine ?

Simone :
Que voulez-vous dire ?

Axelle :
Je ne sais pas, moi. Par exemple, elle peut vous
décevoir. Elle est peut-être droguée, délin-
quante, ignorante. Égoïste. Peut-être même
est-elle folle ?

Simone :
Ça ne m'a jamais traversé l'esprit.

Axelle :
D'où vient cette idée qui fait croire aux parents que leurs enfants seront beaux, intelligents et tout particulièrement aimables envers eux ? Je trouve ça un peu dégoûtant.

Simone :
Dégoûtant ?

Axelle :
Vulgaire, si vous préférez. Oui, c'est ne pas connaître les lois de l'hérédité que de penser que son enfant sera son semblable. C'est aussi vulgaire que de prétendre à une éternelle jeunesse. Je m'excuse… je suis généticienne. Pour répondre à votre question : oui, j'aime le jazz. Quand j'étais petite, mon père et ma mère m'amenaient souvent chez des amis musiciens. Nous formions comme une grande famille réunie autour de la musique de Duke Ellington. Chaque couple amenait ses enfants et pour nous c'était la fête. Il y avait un petit garçon fasciné par les jeux de Donjons et Dragons. Il lisait tout le temps. Il y avait aussi une fille nommée Ella qui aimait parler des Aztèques. Plus tard, après le départ de mon père, ma mère m'a obligée à suivre des cours de piano. J'aimais la musique, mais je ne pouvais pas jouer. Chaque fois que je posais mes doigts sur le clavier, je voyais tous les os qui composent la

main. Mes mains sur le clavier me donnaient toujours l'impression qu'une autre jouait à ma place. Après quelques minutes, je m'arrêtais en pleurant. La professeure m'obligeait à recommencer. Je faisais du mieux que je pouvais. Intriguée, effrayée et fascinée par le mouvement de ce que j'appelais « mon âme en folie » sur le clavier.

Simone :
Vous êtes si jeune et vous parlez comme quelqu'un qui a beaucoup vécu.

Axelle :
Ou qui se souvient de tout. Ce qui n'est pas la même chose.

Simone :
À votre âge, j'étais déjà mère. Je rêvais de voyages et de musées. Enfant, j'avais un oncle missionnaire qui, à chaque retour au pays, nous amenait en paroles, mes cousines et moi, dans des endroits tous plus fascinants les uns que les autres. À Shanghai, Manille, Abidjan et en Abyssinie, nous mangions du riz, avions soif à mourir, marchions dans la poussière et les excréments au milieu des chèvres, des chiens et des lépreux. Nous traversions des forêts épaisses jusqu'à ce que soudain les temples et les pagodes se transforment en éléphants, cobras, tigres et lions. L'oncle jésuite parlait aussi de rondeurs féminines qu'il appelait tantôt cariatides, canéphores ou rosaces bilobées. À la

naissance de ma fille, j'ai repris plusieurs de ces histoires et cela m'a permis de voyager encore et encore.

SCÈNE 6

Carla :
Tu aurais dû me parler un peu plus de Simone
Lambert. Je la trouve intéressante comme
femme et comme personnage. C'est une
femme blessée. J'aime les femmes blessées.
Elles sont vivantes, émouvantes. Je ne dis pas
ça ironiquement. C'est vrai. Elles me boule-
versent. Une femme blessée qui est là devant
toi en train d'exister, de remuer les lèvres au
nom de la vie, ça me trouble profondément.
C'est comme un abîme de transparence et de
mystère. Au collège, à Regina, il y avait une
fille aux yeux d'un bleu indescriptible qui travaillait à la cafétéria. Elle plaçait les desserts
sur le comptoir. Tous les jours, nous défilions
devant elle, tenues à distance par des rangées
de poudings au riz, de crèmes caramel et
de salades de fruits. Je plongeais dans son
regard, je nageais vigoureusement, descendant
jusqu'au fond d'une tristesse sans fond, puis je
remontais à la surface, allégée de ce que cette

tristesse ne fût pas mienne. Pendant deux ans, je me suis crue amoureuse de cette fille. Sa tristesse m'allumait. Blessures, cicatrices, tatouages, je n'y peux rien, j'ai bel et bien un penchant pour les graffiti de peau.

Narratrice :
Tu t'es déjà fait tatouer ?

Carla :
Non.

Narratrice :
Moi si. Là (*elle indique que c'est à la hauteur du cœur*). La peau est mince à cet endroit. C'est douloureux. Mais c'est fait pour ça, non, un tatouage ? Pour ne pas souffrir ailleurs que dans la peau. Pour circonscrire la douleur dans un lieu précis. Pour ne pas oublier que c'est **ça**.

Carla :
C'est récent ?

Narratrice :
Oui. (*silence*) Je l'ai fait faire après la mort de ma mère. Sans doute pour signifier un recommencement du monde. C'est la seule fois que j'ai voulu imiter ma mère. J'appartiens sans doute à la première génération de femmes qui peuvent dire : « Ma mère avait un tatouage sur l'épaule. » La mienne s'était fait tatouer un lion bleu qui m'a regardée droit dans les yeux pendant toute mon enfance. Le même lion soixante ans plus tard était devenu une bête

floue et ridicule sur la peau flasque d'une vieille dame à l'agonie.

Carla :
Tu l'as dit.

Narratrice :
Quoi ?

Carla :
Le mot agonie qui te fait tant peur et avec lequel tu ne voulais pas que je t'écorche les oreilles. Un mot complet. Bilingue, avec deux verbes à l'impératif. Un qui te fait avancer, l'autre qui t'oblige à t'inscrire en faux. Tout jeune, j'ai commencé à décomposer les mots, à retourner leurs syllabes de tout bord tout côté comme on secoue un sac jusqu'à ce que la moindre pièce de monnaie, la plus petite clé en sorte. Tombe à nos pieds d'enfant. Tombe dans notre regard d'enfant. Au fond, tu sais, les mots m'ont toujours fait peur. C'est peut-être pour ça que je les déplie et replie sur eux-mêmes, en moi-même. Tu refuses peut-être de lire mon manuscrit pour la même raison. Tu as peur. *(comme si elle venait de faire une découverte)* C'est ça : toi aussi, tu as peur des mots.

Narratrice *(gênée)* :
Ne sois pas ridicule. En tout cas, pas ici, en ce moment.

Carla :
Oui ! Oui, tu as peur. Pis encore, tu es trop orgueilleuse pour admettre quelque chose qui pourtant, si tu l'admettais, pourrait faire de toi une héroïne. L'histoire de la littérature nous enseigne qu'il faut avoir peur. Tout le monde a peur. Tout le monde s'identifie à un auteur qui a peur. C'est rassurant de savoir qu'on n'est pas seul, planté au milieu de la frayeur et de la détresse. Et ainsi de suite jusqu'à ce que vous compreniez que « je est un autre » est une phrase bidon qui fait de vous un être irresponsable.

Narratrice :
Je pense avoir peur des conflits qui se cachent dans les mots. Mais les mots ne me font pas peur. Bien au contraire. Ils me donnent beaucoup de plaisir. Fabrice savait s'en servir d'une manière exceptionnelle. Jamais naturelle. C'est ça, j'aime les mots d'artifices. Bon, c'est d'accord, tu gagnes. La prochaine fois qu'on se voit, tu m'apportes ton manuscrit. Je vais enfin le lire, ce Chapitre 5 avec lequel tu me casses les oreilles depuis toutes ces semaines.

Carla :
Tu as peur, oui ou non ?

Narratrice :
J'ai peur.

SCÈNE 7

Simone :
Je pense que je vais donner le feu vert pour le projet d'exposition sur les ruines qu'elle (*en faisant un signe de la tête en direction de la narratrice*) me propose. Comment ne pas être sensible à ce que représentent les ruines aujourd'hui ? Même en ce domaine, les temps ont changé. Jadis « ruines » voulait dire ce qu'il reste d'une civilisation, d'une culture, d'une réalité. On pouvait apprendre des ruines, remonter le fil de l'histoire jusqu'à la splendeur et à l'apogée d'une civilisation. On pouvait rêver autour des ruines. Rêver, je veux dire vivre au milieu des images, se laisser porter par l'idée que deux mille, quatre mille ans avant nous, la vie battait son plein de couleurs, de voix et de mouvements. À quoi ressembleront les ruines de notre civilisation ? Encore faudrait-il savoir de quelle civilisation il s'agit. Celle de l'humanisme ? Ou celle de la génomie et du transgénique qui fera de nous des mutants plus

conventionnels que trois Jean-Paul II en un ? Nos ruines ne se résumeront pas à quelques débris et ordures laissés au milieu de champs minés et contaminés, quelques canettes, carcasses d'autos et hangars rouillés. Nos ruines seront électromagnétiques et radioactives. Ça vous embête lorsque quelqu'un de mon âge vous dit ça ?

Axelle :
It kills me. Oui, ça me gêne profondément. C'est comme si vous annonciez que le futur n'aura pas l'air du futur.

Simone (*mal à l'aise*) :
Vous avez eu le temps de visiter la ville ?

Axelle :
Pas encore, mais demain j'espère trouver un moment entre deux tables rondes.

Simone :
Venez me voir au Musée de la civilisation.

Axelle :
Je ne suis pas « très musée », comme on dit en anglais. Quand j'étais enfant, ma grand-mère m'amenait souvent au Musée. Avec une patience d'ange, elle m'expliquait tout ce que je voyais et surtout ce que je ne voyais pas. Elle avait une collection de tee-shirts de tous les musées du monde. Elle m'en rapportait de toutes les couleurs, avec des inscriptions en arabe, en chinois, en grec, en russe. Ma mère

disait qu'elle me gâtait trop, qu'elle prenait trop de place partout où elle allait. Combien de fois, dans l'autobus ou dans un restaurant, je criais «grand-maman, tu prends trop de place». Elle riait, montrait l'espace entre nous et disait : «Tu vois bien que non.» Elle n'a jamais compris pourquoi je disais ça. Moi non plus d'ailleurs. Nous en avions fait une habitude, un jeu. C'est maintenant, pendant que je vous raconte cela, que la phrase de ma mère prend un sens.

Simone (*essayant de cacher son émotion*) :
Il y a d'autres musées évidemment. Enfin, vous verrez. Mais dites-moi au juste en quoi consiste votre travail.

Axelle :
Je fais de la recherche. Je passe une grande partie de mes journées en laboratoire, l'autre en réunion ou à rédiger des articles. Mes recherches sont soumises au secret professionnel. Disons que je travaille à l'étude de ce que nous appelons le monde vivant.

Simone (*encore très émue*) :
Ce ne sont pas les amis qui doivent vous manquer ?

Axelle :
Je sors peu. Une fois par semaine, je vais danser. Je m'entraîne régulièrement dans un club sportif. Je dors huit heures. Je ne mange jamais plus que deux mille calories par jour. Je

ne regarde jamais la télé, l'écran de mon ordinateur suffit amplement à m'abîmer la vue.
C'est tout. Les soirs avant de m'endormir, je
me récite un poème. C'est une habitude qui
me vient du temps où ma mère et moi habitions au sud. Ma mère connaissait plusieurs
poètes là-bas. Certains d'entre eux venaient à la
maison avec leurs femmes et leurs enfants.
Parfois, on demandait aux enfants de réciter
un poème. De moi, on exigeait toujours « une
petite sonate à la lune et aux Iroquois ». Un
jour, ma mère m'a demandé de dire un poème
d'Octavio Paz devant Octavio Paz. Il était assis
dans une grande berceuse et il me regardait en
souriant. Derrière sa tête, il y avait une étagère
sur laquelle ma mère déposait ses hibiscus.
Je prononçais avec minutie chacun des mots
du poème en regardant devant moi les fleurs
rouges et les cheveux gris du poète embrouiller
mon regard.

Vous savez, ma mère n'était pas parfaite, mais
elle m'a transmis un amour de la poésie qui
l'exonère de tout blâme. Tous les poèmes
que je connais, je les porte en moi comme la
mémoire de ma mère. Je les ai tous appris par
cœur au temps où elle vivait encore auprès
de moi.

Cuanto pesa un ojo en la balanza?
Cuanto mide un sueno entre dos parpados?
Cuanto pesa en tus manos un ojo cerrado,
Un ojo de muerto y un ojo pelado?

Homero Aridjis

SCÈNE 8

Carla :
Je me demande ce qui crée la peur même quand il n'y a pas de danger réel. On dit facilement j'ai peur de ceci ou de cela, du vent, des serpents, des vieilles passions. C'est clair et précis. Lorsqu'on dit, j'ai peur d'avoir froid, j'ai peur de ne plus pouvoir respirer, c'est qu'on évalue un risque ou plutôt qu'on a peur de mal l'évaluer. Mais avoir peur d'écrire, ce doit être comme avoir peur de vivre, avoir peur de soi, craindre la vie elle-même.

Narratrice :
Il est possible que, sans nous en rendre compte, nous ayons toujours peur. Peur de mourir ou peur de vouloir mourir. Il ne faut pas me parler de ça maintenant. Je veux reparler à Simone Lambert de mon projet d'exposition.

Carla :
À cette heure-ci ?

Narratrice :
Oui, c'est maintenant ou jamais. C'est important. Je tourne en rond avec ce projet. Tu
devrais voir mon appartement. Il te ferait peur.
Je veux dire, tu aurais peur de la personne qui
vit dans cet appartement.

Carla :
J'ai déjà vu des appartements en désordre.

Narratrice :
Mon appartement ressemble à ceux des gens
qui souffrent de cette maladie, tu sais, cette
maladie qui empêche les gens de jeter des
choses devenues inutiles ou qui les oblige à
conserver le vide des cartons d'allumettes, des
tubes de dentifrice, des bouteilles d'alcool, des
boîtes de *chewing-gum*. Mais aussi qui font
le plein de journaux, de revues, de calendriers
publicitaires, quitte à mourir étouffés dans leur
documentation. Je suis devenue une dangereuse
collectionneuse.

Carla :
Dangereuse ? Tu ne fais quand même pas une
collection de boas, de révolvers ou de poisons
mortels.

Narratrice :
Pis encore, je collectionne des images de ruines,
des angles morts de civilisation. Je m'entoure
de débris, des reliquats de splendeurs anciennes,
de vieux précis de composition. Pendant des
heures, je reste à ma table de travail, intriguée

par un motif, un relief suspect. Tu te rends compte : tous les jours, je dois faire avec des restes de désir, des preuves irréfutables de violence, de destruction ou d'usure. Ma tâche est de faire en sorte qu'on se souvienne bien de la vie avant nous. « Les idées que les ruines réveillent en moi sont grandes. Tout s'anéantit, tout périt, tout passe. Il n'y a que le monde qui reste. Il n'y a que le temps qui dure. Qu'il est vieux ce monde », disait Diderot. Et bien moi, les ruines, je les investis de pouvoir, d'un tel pouvoir de questionnement qu'une partie de la réalité qui m'entoure perd de son sens. Je suis fascinée par ce qui s'écroule d'un rêve, d'une civilisation tout comme un architecte s'interroge sûrement pour savoir ce qui cède en premier d'une église, d'une bibliothèque, d'un hôpital ou d'un stade. Quels sont les premiers signes de l'affaissement d'un décor ?

Carla :
Comme c'est étrange cette façon que tu as de ne jamais parler de toi. De toujours créer des questions et des urgences qui semblent si éloignées du quotidien, de ta vie, de la réalité québécoise.

Narratrice :
C'est très bien ainsi. Je m'intéresse aux ruines parce que je m'intéresse au temps, à cette gueule ouverte sur le cosmos et sur nos gènes. De toute manière, tu ne me donnes pas souvent l'occasion de parler de ces choses intimes qui, à t'entendre, forment le tissu fin de la

création. Chacune de nos rencontres aura été un exutoire pour toi. Pour moi, cela aura plutôt été un exercice d'écoute dont je ne nierai pourtant pas le plaisir que j'en ai tiré (*silence*) un plaisir des sens empreint d'intensité. Viens, allons retrouver Simone et la jeune femme.

Carla :
Bonne idée ! Je vais les inviter à venir prendre un verre dans ma chambre. Comme ça tu seras plus tranquille pour parler à Simone. Et tu pourras prendre la copie du Chapitre 5. (*en regardant les deux femmes*) Elles ont l'air de bien s'entendre.

La chambre de Carla Carlson

Toutes les chambres d'hôtel ont des angles. Angles morts que sont les garde-robes, la porte de la salle de bain, le dessous du lit. Angles vivants : fenêtres, miroirs, chaises et fauteuils dans lesquels il est toujours possible de lire ou d'observer les particules de poussière se déplaçant dans l'air comme des confettis d'argent vif. La chambre de Carla Carlson est en partie occupée par des lits jumeaux. Sur l'un d'eux, des livres, des chemises, un appareil photo et un parapluie. Un des murs, celui où se trouve le premier commutateur que les doigts rencontrent après avoir ouvert la porte en entrant, est tapissé de pages dactylographiées sur lesquelles on peut voir ici et là des ratures à l'encre rouge. D'autres n'ont qu'un titre écrit à la main. Il y a une commode avec un grand miroir que Carla a utilisé pour se photographier sous des angles et des éclairages variés. Car le matin, lorsque la blancheur du jour traverse les rideaux de mousseline, Carla entre dans un état second de perception qui l'incite à vouloir garder en mémoire une partie des angles morts. L'après-midi, s'il pleut ou quand le ciel est lourd et qu'un gris léger perle dans l'atmosphère de la chambre, elle interrompt son travail d'écriture pour photographier ce qu'elle appelle l'aura folle du prix à payer quand on écrit. Quant à l'éclairage de la nuit, il est d'un jaune tournesol presque mexicain et il n'apparaît que lorsque Carla retrouve sa chambre après de longues conversations avec cette femme qui travaille au Musée de la civilisation et qu'elle a rencontrée dès les premiers jours de son arrivée à Québec. Depuis, elles se retrouvent au bar de l'hôtel pour écouter un peu de jazz et s'alimenter l'une et l'autre d'histoires, de faits et d'arguments complexes qui, Carla l'admet, font avancer son manuscrit. Quoi qu'il en soit, la chambre comme décor est parfois remplie d'accents et de mots étrangers qui prennent des airs de fiction tant ils se transforment sous le poids des trémas, des accents circonflexes ou aigus, chacun donnant l'impression de se resserrer autour du sens, véritable nœud coulant. Ainsi en est-il du décor des chambres d'hôtel où les objets apparaissent au fil du temps comme des refuges visuels mis à notre disposition pour mieux profiter des personnages et du mystère qui les entoure. Aussi devrions-nous dire que chaque décor sert à nous rapprocher des êtres aimés qui errent dans nos mémoires comme des personnages ou des cerfs gavés de vertige et d'horizon. La chambre dans laquelle se retrouveront d'ici peu les quatre femmes aperçues dans le bar de l'hôtel Clarendon entre vingt-deux heures et minuit quinze est spacieuse. Des lits jumeaux sont placés devant une commode dont le miroir pourra aussi servir d'écran pendant la représentation. Simone et Axelle sont assises sur chacun des lits et elles regardent en direction de l'écran-miroir. Tout au cours des scènes qui suivront, on les verra de dos mais on pourra voir leurs visages en levant les yeux vers l'écran. Carla et la narratrice vont et viennent dans la pièce. Il arrive qu'elles s'assoient côte à côte en regardant l'auditoire. Des pages dactylographiées sont collées au mur qui donne sur le corridor de l'étage. Durant la représentation, on pourra voir ou entendre les actrices en train d'en faire la lecture.

Simone

Pendant des années, j'ai vécu avec des fragments de civilisation entre les mains, une poussière rousse, vieil ocre sable jongleur au bout
des doigts. Ma vie est peuplée de civilisations
anciennes que j'ai appris à connaître, à aimer, à
classer, à assembler, à imbriquer dans mes pensées de manière à leur donner un air de vérité.
Maintenant cela m'effraie. Sur les sites, ma vie
était radicalement tranchée en noir et blanc.
Blanc de lumière qui transformait le bleu en
lilas, le jaune en poussière d'or. Noir de nuit
tombée comme un pétale rare sur nos épaules.
Nuit. Dormir. Sommeil d'insectes pendant que
la nuit prenait un air d'œil sombre et qu'un
nombre incalculable de questions naïves restaient en suspens sur le bord des lèvres. Je
persistais au milieu des pierres avec des questions qui enflammaient les os. Certains jours,
je l'avoue, je perdais contact avec les êtres
qui allaient et venaient autour de moi en ras-
semblant leur force et leurs outils. Je pensais

qu'après tout rien n'est absolument vrai et cela me faisait du bien.

Carla

Ah! Simone, vous me faites plaisir quand vous entrez ainsi dans le vif du sujet. Hélas! Nous en perdons peu à peu l'habitude. Trop de distractions. De pudeur aussi. Et de la pudeur, il en faut, bien sûr, pour vivre en société.

Narratrice

L'apparente simplicité du réflexe contemporain qui incite à faire vite et court ne nous dispense pas de comprendre (*se tournant vers Axelle*). Puis-je vous tutoyer?

Carla

Il faut distinguer entre l'appétit de vivre et l'appétit d'exister. La distinction est du même ordre que celle que nous faisons entre la fiction et la réalité. Dans un cas comme dans l'autre, il subsiste cependant toujours un doute à savoir si c'est notre imagination ou notre corps très familier qui nous induit en erreur en ce qui a trait à notre appétit. Dans mon roman, il y a un personnage-perroquet qui assiste à la mort de Descartes. Le perroquet est ludique. Il faut l'entendre : « Père hoquette papa guette vieux roquet qui hoquette devant la plaine vieux papa aux oreilles de roquet aime les oiseaux coquets. » Je voudrais faire de Descartes un personnage délirant, mais il doit rester concentré sur lui-même déguisé en son propre personnage et prononcer de séduisantes phrases sur l'appétit de vivre qui nous donne matière à délirer.

Axelle

Ma mère délirait souvent à brûle-pourpoint. Si elle me posait une question et que je ne répondais pas dans la seconde qui suivait, elle commençait un long monologue sur le temps précieux qu'il ne fallait pas perdre. Dans son délire, elle accusait toutes les sociétés d'emprisonner le temps des femmes dans de petites bagues en argent ou dans de lourds tiroirs poussiéreux que, par la suite, elles devaient sabler de l'intérieur. Quand il ne restait plus de temps libre autour des femmes, ma mère disait que la société les avalait une fois pour toutes et qu'on n'en entendait plus jamais parler. Elle disait souvent : « Nous n'avons plus beaucoup de temps », ou « Dépêche-toi, l'orage s'en vient ». « Dépêche-toi vite de réussir. »

Simone

Au moins, elle vous parlait. Moi, je n'ai jamais eu beaucoup de temps pour ma fille.

Narratrice

Il ne faut pas dire cela. Les mères ont hélas toujours trop de temps pour leurs filles et même quand elles n'en ont pas, les filles croient que c'est trop.

Simone

De quoi parlez-vous?

Narratrice

Je voulais tout simplement dire que les mères sont omniprésentes et que beaucoup de filles pourraient s'en passer.

Carla

Ce n'est pas ce que dit la légende. Bien au contraire, les filles ont plus souvent qu'autrement le sentiment d'être orphelines, abandonnées ou rejetées.

Narratrice

Les filles ne savent pas ce qu'elles veulent. Trop n'est pas assez et pas assez est une absence.

Axelle

Bientôt on ne saura plus distinguer entre mère-ventre et mère-gène. Mère d'instinct et mère d'abandon. Petite mère aux vieux os et grosse mère de chagrin. Vous êtes d'un autre temps. Vous pensez avec des mots chargés de ferveur. Or la ferveur n'est pas très efficace si on la compare à une parfaite équation, une carte génétique bien dessinée, un chiffre précis.

Carla

Pardon ! C'est plutôt excitant, la ferveur.

Axelle

Ça ne donne rien, la ferveur. Ou plutôt disons que ça alimente tout simplement des vieux restes de douleur.

Carla

La douleur donne à penser et ce n'est pas rien que de penser. C'est même plutôt privilégié de pouvoir le faire.

Axelle

Penser, ça devrait être aussi facile que de baiser. Enfin, je veux dire, si baiser était une chose simple.

Narratrice

Tout le monde jongle, fait du coq à l'âne mental. C'est ce qu'on appelle la pensée au naturel. Il y a un préjugé qui fait valoir que seuls les gens qui pensent abstrait pensent réellement, mais je crois que penser veut aussi dire flâner au milieu des mots, des images et des idées. Somme toute, penser consiste peut-être à tirer une conclusion au moment opportun d'une jonglerie. Est-ce qu'on pense bien naturellement ou est-ce que bien penser suppose un effort, qu'on accepte de se perdre, de revenir sur ses pas, de frapper un mur, un nœud, qu'on prenne le temps de défaire un mauvais raisonnement, d'effacer une pensée gourmande ou mesquine ?

Axelle

Quelle étrange nuit ! Aujourd'hui devait être un jour important pour moi. Je voulais tellement ne pas être déçue. Je la voulais devant moi cette femme qui aurait pu m'expliquer ma mère. Pourquoi dit-on « grand-mère » au lieu de « la mère de ma mère » ?

Narratrice

Cela permet de mieux cadrer le pronom possessif, de le mettre là où il vous tient le plus à cœur. De plus, lorsque vous dites « la mère de ma mère », vous entrez sur le terrain de la généalogie affective qui, c'est bien connu, est un terrain miné par la fatigue, le quotidien et surtout cette angoisse nerveuse et complexe qui entre dans tout rapport possessif. Vous ne pouvez pas dire « je marchais en tenant la mère de ma mère par la main ». C'est trop de monde en même temps sur le trottoir.

Simone

Je ne comprends pas pourquoi vous persistez à rendre épouvantablement compliqué un lien de *filiation* tout à fait naturel.

Narratrice

Je suggère des pistes pour comprendre un lien qui, bien que naturel, n'en est pas moins dangereux.

Carla *en se rapprochant du mur*

Durer : prononcer « durer » sans éclater de rire, c'est peut-être ce qu'il voulait dire Descartes quand il traversait la cour intérieure pour se rendre de son appartement à celui de la reine

Cristina. Durer, voilà un verbe que mon naïf papa confondait parfois avec endurer. La misère, non! Pas la misère comme plusieurs des personnages que la littérature d'ici met souvent en scène. Non. Pas la misère. Endurer le temps. Le temps qui passait froid sur nos épaules de bisons attirés par l'horizon et le grand vide soudain des *badlands*. Endurer en aiguisant son couteau quotidien, se coller aux arbres le soir venu en rêvant des villes au sud et des ancêtres au nord, là-bas plus au nord, là où mon papa croyait que l'âme de sa mère voyageait peut-être encore. (*montrant les pages sur le mur*) C'est mon roman, vous pouvez lire si le cœur vous en dit. J'ai presque terminé. Une semaine encore et je rentre à Saskatoon. Maintenant, je me suis mise à rêver du vieux silence qui régnait autour de la maison de mon enfance. Depuis deux jours, il y a des bisons dans mes rêves. J'entends le son terrifiant de leur course effrénée vers la falaise d'où ils s'envolent, s'engouffrent et s'empilent les uns par-dessus les autres, cornes et membres emmêlés dans le sang, la poussière et l'herbe rousse, un brin d'herbe flou vacillant devant leur grand œil presque mort presque aveugle, leur grand œil déréglé par le vide et le froid de l'horizon.

Axelle

Pourquoi dites-vous « mon naïf papa » ?

Carla

Parce qu'il était gentil et qu'il se laissait facilement ficeler comme une poupée lorsque nous jouions aux cow-boys. Il était toujours prêt à mourir quels que soient le début ou la fin de l'histoire que j'inventais. Il était prêt. Comme ça, en se tenant droit dans le vent. Il disait : *o.k. girl it's time for me to die.* Alors je montais sur mon cheval et j'allais rejoindre la reine Cristina. Parfois, il me fallait faire plusieurs fois l'aller-retour entre Stockholm et Rome. D'autres fois, j'allais directement à Rome, en faisant mon entrée par la voie Appienne, puis sans transition, je me retrouvais dans les bras de la reine. Nous échangions un long baiser derrière un paravent. Quelqu'un nous apportait des figues et des *fragole*. Nous nous embrassions une dernière fois et puis je disais : *o.k. girl it's time for me to go* et je revenais dans le champ de colza que j'avais quitté quelques minutes auparavant.

Simone

Je crois que je vais rentrer.

Narratrice

Non, restez, Simone. Je vous raccompagnerai plus tard. Je sais que ce n'est peut-être pas le moment mais…

Simone

Non, ce n'est pas le moment. Axelle, j'aimerais que vous me raccompagniez. Nous avons à parler.

Axelle

Je ne vois pas très bien de quoi. Je n'ai qu'un sujet de conversation en tête et je ne crois pas que vous soyez en mesure de m'aider.

Simone

Ça tombe bien. Je n'ai qu'une personne en tête et je crois que vous êtes en mesure de m'en parler.

Axelle
(*se rapproche du mur et lit le passage suivant*)

J'imagine qu'il faut la joie à propos de tout pour s'engouffrer dans le temps et le laisser se refermer sur nous. Oui, il faut sans doute laisser le temps avaler le silence et les récits multiformes qui nous entourent comme une haie de roses.

Fade out.
    Fade in.

L'écran s'allume sur les visages d'Axelle et de Simone en gros plan. Chacune très attentive comme si elle suivait une émission, un film. S'il existe une nouvelle technologie, j'aimerais que l'on puisse travailler en direct les visages de manière à accentuer des traits que les comédiennes ne peuvent travailler. Ainsi, il se dégagerait une impression très étrange de leur échange. On entre de plain-pied dans la conversation qu'elles auraient eue si elles s'étaient rencontrées au restaurant.

Simone

C'est un bien grand jour. Je m'étais presque résignée à ne plus te voir. Si tu savais tous les portraits imaginaires que je me suis faits de toi.

Axelle

J'avais hâte de te voir. J'aurais voulu venir avant mais, tu sais, je travaille fort.

Simone

Je sais.

Axelle

On dirait que partout où je vais, je ne suis que de passage. (*Silence. On entend les cloches d'une église.*) La nuit précédant le jour de sa disparition, maman avait fait de l'insomnie. Je l'avais entendue marcher dans la maison et discuter au téléphone. Je m'étais endormie. Le lendemain, à mon réveil, la maison était silencieuse. Le petit déjeuner était placé bien en vue sur le napperon jaune et vert agave. Un seul couvert. Je me suis assise à ma place habituelle. J'ai avalé un verre de jus d'orange. Un peu de jus a coulé dans mon cou. Dans la corbeille à pain, il y avait une enveloppe. Je l'ai prise. C'était l'écriture de maman. L'enveloppe contenait cent dollars américains, l'adresse et le numéro de téléphone d'une famille amie qui habitait tout près et qui nous invitait parfois à passer le week-end à Tepotzlan. Maman t'a peut-être déjà écrit ou parlé de cette famille. Le père est un grand pianiste et la mère une femme d'affaires importante dont le père disait toujours : « Sans elle, les travailleurs seraient des chômeurs, les chômeurs des pauvres, les pauvres

des esclaves et les esclaves des cadavres. » Ce
matin-là, j'ai mangé tout ce qu'il y avait sur la
table. J'ai téléphoné au Centre de planification
familiale où maman travaillait. Elle n'était pas
là. Je me suis assise au jardin. Un tout petit
jardin où elle faisait pousser du basilic et de la
ciboulette. Le chien du voisin jappait. C'était
une journée très belle, avec du bleu partout.
Les gens pensent qu'une enfant de dix ans est
incapable de réfléchir et de vouloir vraiment.
Quelque chose. À cet instant précis, plus que
tout, je voulais ma mère, ses gestes brusques
et affairés, son air soucieux, ses yeux bleus
qui même quand elle était en colère m'ont
toujours semblé doux. La regarder dans les
yeux, c'était comme aller au cinéma. J'essayais
toujours de le faire le plus longtemps possible.
Il est très rare que les enfants regardent
leurs parents dans les yeux, moi, je regardais
toujours ma mère droit dans les yeux. Avec
le temps, elle avait fini par dire en riant :
« Dépêche-toi de me regarder, on part. » Quand
je la regardais, j'avais l'impression de lui rendre
hommage et de me rapprocher de ses rêves. De
vrais rêves. La nuit, je l'entendais parfois crier
ou parler d'une voix hésitante.
Ce jour-là, les policiers sont venus avec
monsieur Morelos et sa fille aînée, Liliana. Ils
ont fouillé la maison. J'ai demandé ce qu'ils
cherchaient, ils ont dit des papiers. Liliana m'a
aidée à remplir une valise avec tout ce que
j'aimais et que je voulais apporter avec moi. J'ai
pris une photo de maman, mon microscope,
quelques livres, une affiche de Frida Khalo que

Liliana a roulée en faisant travailler ses poignets. Nous n'allions pas loin. Les Morelos habitaient à quelques rues de chez nous. Les jours ont passé. Les mois. La famille Morelos a sans doute essayé de te joindre, mais il n'y avait plus personne à ton adresse montréalaise. Mon père était introuvable. Alors ils ont décidé de m'adopter. Deux ans plus tard, ils se sont définitivement installés à New York, dans un grand appartement près de l'Université Columbia. J'avais une grande chambre. Nous habitions au quinzième étage. Il régnait là un silence majeur dans lequel je m'employais à détecter le fond sonore de la ville qui faisait comme une respiration que je qualifiais de suave. Ce qui faisait rire toute la famille à l'heure du repas. On m'a envoyée étudier à Bard. Puis, j'ai fait mes études en génétique à Princeton.

Simone

Peu de temps après votre départ pour le Mexique, on m'a offert le poste de directrice d'un nouveau musée, ici à Québec. J'habite au même endroit depuis tout ce temps. Je m'y plais. Le fleuve est une présence qui me rend heureuse. Comme toi, je travaille sans arrêt. Pour le moment, personne ne m'a encore obligée à prendre ma retraite. Je voyage beaucoup mais de moins en moins avec enthousiasme. Il y a bien longtemps que je ne vais plus sur le terrain. Il me reste les couloirs de musées et les grandes salles d'exposition. Il ne s'est pas passé un seul jour sans que je pense à Lorraine et à toi. Disparaître. Comme si j'étais prédestinée à vivre au milieu des traces, des preuves à l'appui du passé, à conserver la mémoire de ce qui un jour exista dans toute sa splendeur. De te voir devant moi me fait perdre tous mes moyens. Tu ressembles à Lorraine. Je suis émue jusqu'au fond de (*elle cherche ses mots*) de mon silence.

Axelle

C'est une drôle d'expression.

Simone

Peut-être. Comment dire autrement les choses essentielles qui traversent notre rapport au temps et à la continuité, notre petit murmure de bête esseulée parcourant le cosmos.

Axelle

Le silence de nos cellules ou celui qui entoure nos cellules ? *The sound effect of the soul,* comme disent mes collègues manipulateurs de gènes.

Simone

Un de mes amis vient de mourir, seul, au fond de la nuit turque. Seul, au loin comme ta mère, un jour de mai quand les journées commencent à allonger et que l'idée de vie prend toute sa force, nous gorge du plaisir et de l'orgueil de vivre.

Axelle *(soudainement et violemment)*

Ma mère n'est pas morte. Elle est disparue. Ce n'est pas la même chose. Qu'est-ce que tu lui as fait à ma mère pour qu'elle te haïsse tant?

Fade out.
    Fade in.

Carla

Dans tous les livres que j'ai consultés, il n'est dit nulle part pourquoi la reine Cristina avait choisi de partir à Rome. Toute ma vie de romancière, je l'ai passée à me demander quels motifs se cachent derrières les gestes et les décisions d'abandon et de départ. Quel obscur motif m'amène à Québec pour terminer chacun de mes romans? Bien sûr, j'ai trouvé des réponses dérisoires. Pendant un temps, j'ai cru que c'était à cause du poème *O Québec* de Louis Riel que mes petites amies canadiennes-françaises récitaient pendant les deux mois que duraient nos vacances. C'est un poème dans lequel Riel implore la province de Québec de ne pas oublier les Métis du Manitoba comme la France avait oublié le Québec après sa défaite. Horrible poème mais le «O Québec» résonnait en moi comme un mot, un lieu plein de mystères où tout semblait possible. J'aime écrire pour gagner du temps sur l'absurde. J'écris pour retrouver l'imagerie de mes flâneries le long de la rivière Saskatoon. En français, on dit «rivière aux amélanchiers». Au fond, je ne pense bien qu'en détournant les êtres de leur fonction habituelle et en leur assignant un rôle nouveau dans l'histoire. Une impulsion de fiction vaut bien un gramme de coke pour effacer toute trace d'absurde.

Narratrice

Oh! Le vieux mot.

Carla

Les mots vieillissent, mais ils ne sont jamais vieux. Il faudrait être des tarés pour ne pas convenir de l'absurde. Des tarés ou de grands consommateurs de spectacles futiles. «L'absence de changement, dit-on, serait la caractéristique de l'absurde.» En effet, si l'on convient que la nuit de la Saint-Barthélemy vaut bien les massacres du Rwanda et que le Massacre des Innocents vaut celui de Shatila, c'est que le mot «absurde» est encore bien vigoureux.

Narratrice

Ionesco pensait que les gens étaient devenus des murs les uns pour les autres. J'ai plutôt l'impression que nous sommes devenus un murmure constant, changeant, étouffant et fascinant les uns pour les autres. Un fond sonore qui nous tire vers le fond.

Carla

Elle était comment, Axelle, votre mère ? (*Axelle ne répond pas immédiatement.*)

Carla (*doucement*)

Elle était comment ?

Axelle

Je ne sais pas vraiment. C'était une femme occupée, préoccupée, (*en regardant Simone*) dont la vie était centrée sur sa mère, (*pointant le doigt en direction de Simone*) dont la vie était misérable à cause de toi. Sois sans crainte, elle ne te reprochait rien de précis. Seulement, tu étais là partout comme une ombre, un fantôme, une menace inexplicable. Cela malgré les soirées de rêve qu'elle me racontait. Tu l'amenais dans les musées les plus prestigieux, tu faisais ouvrir les grandes bibliothèques du monde afin que vous puissiez passer là quelques heures à admirer des documents rares, des parchemins, des soies, des incunables.

Narratrice

Une mère qui instruit sa fille mérite le plus grand respect. Toutes les filles rêvent d'une mère qui pourrait leur apprendre le monde, la réalité et en même temps les faire rêver.

Simone

Le monde est partout autour de nous une saveur à transmettre. Les mères ont de tout temps transmis, souvent à leur insu, une forme de futur.

Axelle

On ne peut plus parler de la même façon du futur. Il faudrait se mettre ça dans la tête une fois pour toutes.

Carla

Le futur se compose toujours de ce qu'on nous donne enfant pour jongler. Ma mère m'a donné Descartes et la reine Cristina. Mon père m'a laissé sans le savoir une aptitude à ficeler des personnages. Quant à l'école, elle m'a offert des noms comme ceux de sir John Macdonald et du général Middleton dont je n'ai jamais su que faire. J'ai préféré jouer avec les mots latins et français que les sœurs Laramée m'apprenaient les dimanches après-midi. Et toi, Axelle, qu'est-ce qu'on t'a donné pour jongler avec ta vie et ce futur contre lequel tu essaies de nous mettre en garde?

Axelle

Ma mère m'a laissé les mots : « justice, liberté, transgression ». Et « travail ». Seulement des mots. Elle ne m'a laissé que des mots.

Simone

Lorraine détestait le travail, la discipline. Elle aimait l'aventure, le risque, les histoires de sorcières et de vie communautaire. Elle confondait tout avec ses idées sur la révolution, le zen, les herbes et le piment de Cayenne.

Axelle

Ma mère était une femme sage et savante. Peut-être trop sensible, non, susceptible comme le sont les gens orgueilleux. Elle était comme un courant électrique qui traversait la maison. Le silence de la maison. Elle exigeait de moi un silence impeccable : lire/écrire/réfléchir, telles étaient les activités qui m'étaient proposées. C'est seulement une fois installée chez les Morelos que j'ai commencé à rire et à me masturber. (*Silence*) Oui masturber, verbe d'action qui renvoie à soi et à la faculté d'imaginer des scènes improbables, inavouables et parfois grotesques. À Princeton, les filles se masturbaient beaucoup avant les examens. Certains soirs, c'était contagieux.
(*Long silence*)

Fade out.
  Fade in.

Les quatre femmes sont assises autour d'une table
à cartes. Elles ont commandé à manger et sur la
table on peut apercevoir une bouteille de cham-
pagne et quelques plats : olives et saumon fumé.

Carla

Je suis contente que vous ayez décidé de rester.
Il y a un moment dans la nuit où il n'y a plus
de retour en arrière ni de fuite en avant. Il faut
tout simplement veiller. Rester là, s'incarner
dans les contours de la nuit, attendre ceux de
l'aube.

Simone

Vous avez eu raison d'insister pour que je
reste. Je me sens mieux. Bon appétit. Cela m'a
toujours fascinée de penser que ces matières
exquises que sont le caviar, les olives, les truffes,
les fromages, les framboises, le champagne que

nous ingurgitons avec ravissement se transforment en quelques heures en matières...
disons... moins nobles. Qu'il y ait autant de
rêves, d'histoire et de travail dans les aliments
qui se retrouvent dans notre assiette et dans
notre bouche tient presque du miracle! Dès
que je prononce ou que je vois le mot «olive»,
je me retrouve en Sicile ou en Andalousie. Je
fais la sieste, je m'arrête à une terrasse pour
boire une limonade. Le temps passe.

Carla

Keso, fransnbröd och brännvin.

Narratrice

Prozac, Dhea, Viagra, testostérone, hormone
de croissance. Dis-moi ce que tu manges, je
te dirai qui tu es, ô ma belle transgénique.
Mon adorée, ma folle espèce parmi toutes les
espèces.

Carla

Ce qui m'épuise dans le roman, c'est d'avoir à
faire mille détours de phrases pour arriver
à décrire ce que mes yeux fous de joie ou de
douleur voient. Des détours sans fin pour arriver à traduire je t'aime. Viens dans mes bras.
Pardonne-moi. Plus jamais. Encore et encore.
Un vrai système digestif qui, contrairement
au nôtre, arriverait à produire du neuf à partir

de la matière brute des impressions et des sensations.

Axelle

Ça ne doit pas être simple d'être un personnage.

Carla

Vous voulez dire d'être romancière?

Axelle

Non. Personnage, c'est-à-dire faire semblant d'être réel

Narratrice

et de souffrir mais pourquoi donc?

Axelle

Souffrir réellement en faisant semblant de souffrir adéquatement.

Carla

Comme une actrice alors? Mais une actrice n'est pas un personnage. Elle est souvent moi.

Simone

J'ai connu, il y a bien longtemps, une actrice qui se nommait Alma Longsong. C'était une amie de la grande chanteuse égyptienne Oum Kalsoum dont la voix faisait vibrer tout le Moyen-Orient. Je les avais rencontrées dans un café du Caire. Je travaillais alors à Abu-Simbel et tous les mois je venais au Caire pour rencontrer des fonctionnaires et signer des papiers. Chaque fois que cela était possible, j'allais au théâtre voir jouer Alma dont le visage était parfait. Vous savez, il est rare que l'on entende parler d'une femme au visage parfait, elle-même capable de discourir sur l'idée que l'on se fait, non pas d'un beau visage, mais d'un visage parfait. Sa théorie était simple et exaltante. Le visage parfait ne devait jamais être imaginé à partir du O mais avoir un U comme centre d'attraction. Le O, disait-elle, incitait trop fortement à imaginer la calotte crânienne et, ce faisant, obligeait à juxtaposer le crâne et la perfection du visage.

Axelle

On pourrait aussi bien affirmer le contraire. Que le U est insuffisant pour traduire l'ensemble du visage et que tant qu'il manque la calotte crânienne il manque l'essentiel.

Simone

Exact. C'est en quoi la théorie était simple. Et exaltante elle l'était, parce qu'elle permettait de penser aux rares visages parfaits de femmes qui, du plus lointain qu'on puisse se souvenir, ont nourri un imaginaire de la transcendance.

Axelle

Le visage de ma mère était parfait. Depuis sa disparition, il n'a cessé de m'obséder. Je ne sais si c'est à cause de sa perfection ou parce que je suis dans l'ignorance de ce qu'il est devenu. Qui de la vieillesse ou de la mort a eu raison de son front, de ses joues douces, de sa bouche capable des sons les plus aigus et des sentences les plus cruelles ?

Narratrice

(qui s'était déjà levée et rapprochée du mur, lit ce passage du roman)

Vivre au quotidien est un exploit. Je suis entourée de cris, de longues plaintes et d'une énergie farouche qui transforment le monde et le silence de ma mère en fiction, en une excroissance de vie, une virtualité sans nom... Sans le silence de ma mère, je suis livrée aux bruits parasites qui augmentent la lâcheté de chacun.

Fade out.
   Fade in.

Simone

L'extrême solitude des femmes.

Carla

Vous voulez parler de la vôtre ou de la nôtre ?

Simone

Je parle de l'extrême solitude des femmes comme d'une caisse de résonance qui amplifie la peur et la peine des femmes aux larmes lisses. Les femmes qui tous les jours se disent : « Ça n'a aucun sens d'être née dans ce patelin sans eau ni électricité mais gras dur en tradition et religion qui nous mettent la corde au cou. Ça n'a aucun sens que ma vie soit ratatinée débile à cause du faible que les hommes ont pour la violence et le mépris appris qu'ils ont de nous. »

Axelle

Vous savez, une partie de la solitude est dans la maladie, dans l'impuissance du corps à se mouvoir vers les autres, à circuler au milieu des autres.

Carla (*sur un ton ironique*)

Et où se cache l'autre selon vous?

Simone
(*comme pour appuyer les propos d'Axelle*)

L'autre ne se cache pas. Elle alimente la première. Elle fabrique sans arrêt du silence dont il appartient à chacun et à chacune de tirer le meilleur parti.

Narratrice

Et que peut-on tirer du silence?

Simone

Il y a dans le silence tout ce qu'il faut pour vivre heureux.

Axelle

Par exemple?

Simone

C'est du silence que découle tout ce que nous nommons « art » y compris l'art de vivre. Imaginer sans le silence ou sans la contrainte au silence serait impensable. Le silence contient toutes les clés de notre programmation. Le plaisir que nous prenons à observer les contraintes qui nous tiennent à distance du bonheur constituerait notre art de vivre. En somme, une façon de vivre en gardant ouverte une fenêtre qui donnerait sur un mur. Certains jours, le mur est opaque, sombre et repoussant, d'autres jours, sa transparence est une invitation à le franchir ou à jouir de sa luminosité. Le mur ne nous protège pas, non plus qu'il ne nous tient à l'écart de quelque chose qui serait attirant. Le mur est une illusion désirable qui nous garde en vie, en état de vigilance au milieu de vieilles phrases qui nous font rêver et mourir d'un même trait. Aujourd'hui la science prétend que nous pourrons un jour traverser ce mur et ainsi mettre un terme à l'attirance néfaste que nous avons toujours eue pour les excès, ceux-là mêmes qui nous ont permis de nourrir notre fascination pour le mur et de trouver parfois dans sa transparence les figures fertiles de notre nostalgie immémoriale.

Carla

Je préfère travailler sur nos petites mémoires remplies de saveurs douces comme celle de la confiture, des odeurs du café, du parfum dans le cou des femmes ou celui de ces chouettes bulles bleues de savon qui font des douceurs à notre peau quand on entre dans la baignoire. Je préfère travailler sur l'idée que chacun pour soi est en train d'inventer un nouveau sort à l'humanité avec ou sans la mélancolie des soirs d'été.

Narratrice

Nous savons tellement de choses sur notre espèce et si peu sur les femmes. Pourtant, voyez, j'allais dire nous sommes *prêts* à nous priver de liberté pour en savoir encore plus. Je me demande ce qui arrivera si nous continuons d'espionner l'espèce dans l'infiniment petit de nos cris en espérant y trouver une explication qui justifierait une immortalité à venir. Bientôt, en y regardant de près, on pourra observer notre ombre, notre double, notre *je* de pure fiction en train de manipuler nos propres gènes. Vous ne pensez pas, Axelle, que vous faites un métier terriblement dangereux?

Axelle

« Ma seule peur, c'est de ne pas mourir. » Je le jure sur le corps de ma mère.

Carla

Le dimanche, j'allais au cimetière avec les petites Laramée qui m'enseignaient le latin et m'apprenaient quelques mots de français.

Nous marchions entre les tombes en bavardant comme de grandes personnes. Chacune apportait un sandwich et vers onze heures trente, quand le soleil nous brûlait le cuir chevelu, nous cherchions une tombe à l'ombre qui puisse nous accueillir. Les sœurs s'assoyaient devant moi. Anne mettait ses lunettes. Je regardais les genoux de Margot qui avaient toujours des ecchymoses, bleues, sanglantes ou roses. Je regardais obstinément ses rotules en répétant machinalement après elle des phrases de l'*Énéide*. Papillons, mouches et maringouins volaient autour de nous. Nous choisissions toujours une tombe où il y avait des fleurs fraîches. Il arrivait qu'il y ait encore un peu de rosée sur un pétale. Alors les sœurs m'obligeaient à décliner *rosa rosis rosam* car une rose vous savez… Puis, une fois notre repas terminé, nous parlions longuement du bonheur diffus que la vue du pétale avait déclenché en nous.

Simone

Je ne me suis jamais habituée à l'idée de me faire appeler maman. Lorraine amenait parfois des petites amies à la maison qui disaient « mom » et « m'an ». Quand Lorraine disait « ma mère », je croyais qu'elle parlait de quelqu'un d'autre, d'une religieuse. « Ma mère » a toujours sonné à mes oreilles comme un cri de mouette. Un jour, je lui ai demandé de m'appeler Simone. C'est alors qu'elle a commencé à dire : « Je suis la fille de Simone mais je ne suis plus la fille de ma mère. »

Axelle

Je l'ai toujours appelée maman. Je ne crois pas que j'aurai un jour des enfants. Je ne comprends pas pourquoi les grands-mères ont toujours l'air d'avoir un plus grand amour de la vie que les mères. Je ne comprends pas pourquoi les choses n'ont l'air d'exister que si elles tremblent sous nos yeux et ravagent le cœur avant de s'empaler sur nos pensées.

Simone

Carla, vous qui écrivez des romans, cela sert à quoi de retrouver son enfance ? Je ne sais pas pourquoi, mais j'ai toujours l'impression que les gens de roman écrivent pour retrouver quelques rares moments d'une joie terrible et entière éprouvée au milieu de leurs intimes ou au contraire pour mieux fuir ces mêmes intimes et leur conformisme. Au fond, nous faisons peut-être le même métier. Nous faisons des fouilles puis, chacune à notre manière, nous exposons restes, débris et fragments d'un grand tout qui fut, qui n'est peut-être ni plus ni moins qu'un énorme fou rire, une ivresse sans nom, une douleur si vive qu'il faut bien lui donner un sens.

Carla

Je ne sais pas. Parfois je me dis qu'il suffit de ne pas oublier. D'autres fois, je pense qu'il y a des choses nouvelles à comprendre en regardant les êtres et que si on décrit leurs cheveux ou leur bouche, ce sera plus facile de les aimer ou de les faire parler.

Simone

Avez-vous remarqué que les grands-mères ne parlent jamais d'elles-mêmes ? Elles sont toujours mystérieuses, installées dans la mémoire vague des petits-enfants. Elles sont là, vieilles, fatiguées, osseuses ou grosses, déplaçant leur chair décrépite sous l'œil vaillant et affectueux des enfants. Elles sont maternelles ou paternelles et c'est tout naturellement qu'elles se transforment en personnages dans les livres d'où elles ne ressortent plus. Ce n'est qu'une fois qu'elles sont installées dans les livres que la mémoire collective s'intéresse aux grands-mères. Puis elle les classe de nouveau par générations selon les guerres, les famines et les inventions qui tour à tour leur auront fait peur, plaisir ou rire. L'auto, l'avion, le cinéma, la radio, la pilule, le guichet automatique, Internet.

Narratrice

Avez-vous aussi remarqué que quelque chose arrive toujours dans l'intensité comme si demain ne cessait de réapparaître comme un torrent furieux balayant sur son passage la mort et le passé ? Je m'imagine toujours marchant avec une solution en tête pour tout ce qui vit. Quand je vais au musée ou au marché, tout devient terriblement présent. Un présent qui efface chacun de mes pas. Parfois, je m'arrête à la terrasse Dufferin étonnée par le vent violet qui en surgissant de partout nourrit mon désir de sensations fortes. Je regarde combien facilement les jeunes tristes s'abandonnent entre les bras violents du vent. J'observe combien ça compte d'être vivant. On ne remarque pas assez comment la vie s'organise malgré tout pour ne pas nous laisser tomber.

Axelle

C'est peut-être mieux ainsi. Je ne sais pas. Je travaille à refaire des choses de la vie déjà programmées par la nature. J'aime bien l'idée de produire des fragments de temps, de petits kaléidoscopes qui rendent l'œil inapte à déceler la mort. C'est ridicule. On dirait que la science est à la mode parce qu'elle tente de faire perdre à l'humanité son alphabet, ses livres de genèse, son habitude du passé et d'une solidarité ancestrale. Tous les jours, je travaille à l'immortalité de mes semblables et je m'ennuie de la mort.

Narratrice

De quoi parlez-vous ?

Axelle

Je parle de mes petites manipulations grâce auxquelles mourir, en principe, ne sera plus une idée fixe.

Simone

Comment donc ?

Axelle

Le changement *old lady*! (*Toutes se retournent vers Axelle avec étonnement.*)
Je travaille au changement. Je…

Carla

Les seuls changements valables sont issus de la fiction.
(*Une pénombre s'installe lentement sur la scène.*)

Carla

On lit parfois dans les romans de jadis que les gens laissaient l'obscurité envahir doucement la grande pièce de la maison pendant que chacun, chacune regardaient, qui leur mère assise en train de lire ou de coudre, qui leur frère en train de se chamailler avec un plus jeune, qui leur père penché au-dessus d'un cahier de comptabilité. On lit parfois que la nuit est douce, que c'est dans la pénombre de la chambre que le sens des valeurs s'agite et qu'au fond de la mémoire il y a comme une douce vision, une brève conviction qui allume soudain les mots d'un sens vaste et farfelu que la vie par la suite se charge de faire valoir au milieu des couleurs, des meurtrissures et des caresses. J'écris souvent la même scène où je me retrouve avec ma mère assise sur la grande véranda qui entourait la maison elle-même entourée de champs et d'horizon. Quand je travaille à la scène, j'ajoute parfois une petite pluie qui tombe, je l'entends piano-ter sur les cailloux blancs qui entourent le jardin devant notre maison. Je fais aussi inter-venir le gazouillis des étourneaux, le croas-sement d'un corbeau. Il n'y a jamais d'arbre. Je m'interdis les arbres et la description de leur feuillage ; l'idée que quelqu'un pourrait s'y pendre ou y être lynché m'effraie trop. J'aimerais tant écrire une scène où ma mère et moi marchons dans une grande ville nord-américaine, mais chaque fois que maman prend la parole en marchant, elle me ramène dans son petit village de Rättvik en tirant subrepticement mon chandail rouge à la hauteur du coude où la laine usée est presque transparente. Je reste là un moment hésitante entre la grande ville et les bords du lac Siljan pendant que ma mère rêve déjà de baignades et de kermesses. C'était avant la guerre, une guerre, il y en a toujours une dans mes nuits quand l'âme des gens se met à rugir. Alors je m'assois sur le verbe *être* et je ne bouge plus jusqu'à ce que ma mère ait terminé sa baignade, sorte de l'eau en riant avant de disparaître dans un sentier où une odeur d'épinette l'enivrera du grand silence de la forêt.

Il faut aussi parler des bêtes dans les romans. Mon papa le ficelé le faisait très bien les soirs de grande solitude. Il nous expliquait, à ma mère et à moi, l'odeur maudite des chiens trouvés le long des *highways*. Aussi l'odeur mélancolique de l'agneau lorsqu'on approche le couteau de sa gorge. « Une odeur s'explique toujours, disait-il, et toutes les émotions en ont une. » Nous avions un cheval et certains soirs papa nous expliquait en quoi Kermesse était remarquable et différent de tous les autres chevaux. Je me souviens de sa crinière parfois si douce au toucher qu'on se serait cru cavalant sur un de ces nuages qui passent en flèche au-dessus de la plaine et dont l'existence prend tout son sens dès que le gris bleuté qui les rend visibles commence à disparaître. *Dad could keep talking for hours when he spoke about horses.* Des races, il y en avait : cheval andalou, arabe, barbe, berrichon, danois, kabyle, kirghiz, klepper, mongol, persan, tartare, techerkess, turc. Et quand il parlait des bêtes, on pouvait les imaginer paradant, trottinant, s'ébrouant, piaffant ou galopant jusqu'à ce qu'elles soient couvertes d'écume. Cela me vient de mon papa, cette habitude que j'ai prise de toujours faire vivre un animal au milieu de mes personnages. Non, ce n'est pas par amour mais tout simplement parce que je comprends mieux ma douleur si l'animal devance mes intentions.

Depuis que je suis ici, je vais parfois dans la rue Saint-Jean chercher un peu de *taramosalata,* quelques olives noires, du pain et du vin. Au retour, je m'arrête à la librairie Pantoute où je feuillette des romans qui me mettent en appétit d'écriture. J'achète toujours au moins un livre pour le plaisir d'avoir un roman neuf à portée de mes yeux avides de stimuli. C'est ainsi qu'ici ou ailleurs, au fil des ans, je me suis procuré *Notre-Dame-des-Fleurs* de (*Carla fait signe de la main qu'il faut trouver le nom des auteurs*) ...., *La promenade au phare* de ...., *Paradiso* de ...., *L'obéissance* de ...., *Benito Cereno* de ...., *Le monde sur le flanc de la truite* de ...., *L'Euguélionne* de ...., *Un air de famille* de ...., *Le livre de Promethea* de ...., *Héroïne* de ...., *Enfance* de ...., *Demain dans la bataille pense à moi* de ...., *Molloy* de ...., *La traversée du fleuve* de ...., *Les derniers rois mages* de ...., *Le temps retrouvé* de ...., *Le premier homme* de ...., *Fortuny* de ...., *La petite fille qui aimait trop les allumettes* de ...., *La mort de Virgile* de ...., *Fontainebleau* de ...., *Le soir du dinosaure* de ...., *Yeux bleus les cheveux noirs* de ...., *Un homme est une valse* de ...., *Mon année dans la baie de personne* de ...., *Les derniers jours de Noah Eisenbaum* de ...., *Pereira prétend* de ...., *Histoires pragoises* de ...., *Prochain épisode* de ...., *Cobra* de ...., *La vie en prose* de

..............., *Le corps lesbien* de ....,
Technique du marbre de ...., *Le désert
mauve* de ...., *Extinction* de
..............., *Le rivage des Syrtes* de ....,
Thérèse et Isabelle de ...., *La décon-
venue* de ...., *Méroé* de ....,
Soifs de ...., *Les fous de Bassan* de
..............., *L'Oratorio de Noël* de
..............., *Le livre du devoir* de ....,
Le bois de la nuit de ...., *Bonheur
d'occasion* de ...., *Lumpérica* de
..............., *Le palace* de ...., *Parc
univers* de ...., *La mer* de ....,
Microcosmes de ...., *Dieu ne nous veut
pas contents* de ...., *La nuit* de
..............., *Le cœur est un chasseur solitaire*
de ...., *L'avalée des avalées* de
..............., *Paulina 1880* de ....,
La Memoria de ...., *Poussière sur la
ville* de ...., *Pylône* de ....,
*Histoire universelle de l'infamie/Histoire de
l'éternité* de ...., *Autobiographie
d'Alice B. Toklas* de ...., *Jos
Connaissant* de ...., *Vie et opinions de
Tristram Shandy* de ...., *Nous parlerons comme on écrit* de ...., *La vie
mode d'emploi* de ....

Vous voyez, il me faut des livres pour aller
et venir dans la beauté complexe du monde.
(*Carla fait semblant de sortir de la chambre,
puis elle revient sur ses pas avec un sac d'em-
plettes imaginaire qu'elle dépose sur le lit.*) De
retour dans ma chambre d'hôtel, je débarrasse
la commode des objets qui l'encombrent pour

les remplacer par les olives, le fromage et le pain. Je rafraîchis le lit en secouant les oreillers pour que la tête soit à l'aise. Le cardinal me regarde toujours d'un air étrange et méchant. Devant la fenêtre, j'ai installé un perroquet en bois acheté dans une boutique mexicaine le premier jour de mon arrivée à Québec. Il est d'un beau jaune vif. Les plumes de son cou lui font un collier vert et celles de la queue, d'un bleu royal, caressent d'un mouvement per- pétuel la ligne du fleuve et de l'horizon. Un jeu de ficelle permet de le garder en équilibre devant le rideau de la fenêtre et tous les matins le perroquet donne une impression d'aube et de beau sablier inversé. Assise devant la coif- feuse, je mange lentement. Je l'entends mar- cher dans la chambre. Le froissement de sa robe sur le bord du lit se mêle au son métal- lique du papier d'aluminium qui a servi à envelopper les olives et le fromage de brebis. De temps à autre, il pousse un râle et elle se précipite, inquiète. Dehors, il pleut, je le sais. Une pluie fine frôle la vitre de la fenêtre. En bas, l'asphalte luit sans doute comme un miroir d'ardoise. Les passants vont d'un pas rapide. Derrière moi, Hélène tourne autour du lit avec des linges blancs et une bassine. Je distingue très clairement le visage de l'homme allongé dans le lit. À lui seul, il représente toute une généalogie de penseurs, nouveaux et anciens, qui comme lui sont sur le point de souffler sur la chandelle brûlée à tout jamais par les deux bouts de la vie et de la mort. Le visage de l'homme est tel que reproduit dans les livres de littérature et d'histoire que les petites Laramée portaient sous leur bras comme s'il s'était agi de trésors plus précieux encore que les olives et les sandwiches au jambon préparés par nos mères.

(Elle mange une olive et prend une bouchée de son sandwich, regarde autour d'elle. Elle s'assoit dans le lit comme quelqu'un qui lit avant de dormir. Simone est assise dans un fauteuil à bras, elle prend la pose d'Innocent X de la toile de Francis Bacon. La narratrice, debout, tourne en rond autour du lit comme si elle cherchait quelque chose dans les tiroirs, sous le lit, dans la salle de bain. Les prochaines répliques seront toutes dites par Carla, mais on pourra les lire sur les lèvres des trois autres comédiennes comme si le son originait d'elles. Hélène sera jouée par la narratrice, le cardinal par Simone. Pendant ce temps, Axelle regarde par la fenêtre.
Cette scène sera jouée en latin.

Cartesius :
Quam singulare cubiculum! Nescio ubinam sim. Quid latet citra velum illud exiguum? Veritas, forsitan? Ningitne? Ningitne, Helena? Perspicere jam non valeo arborem abietis, permagnam excelsamque arborem illam, quae me commovet quotiescumque in eam oculos conjicio, ac si per semetipsam magnus perspectus effici valeret. Noli a me digredi, Helena. Porrige mihi manum tuam. Tange frontem meam. Sine me postrema vice animo te effingere. Nudam. Vellem te nudatam sistere, postrema vice, ante iam caligantes oculos meos. Vellem

adhuc scribere. Vellem te nudam esse. Vellem scribere, et te nudam ut primam auroram sistere.

Cardinalis :
Semper tamen umbra sinenda est ad nos appropiquare, nec eam reicere debemus. Postremam animi et corporis colluctationem umbra tantummodo efficere valet sinceram. Nullum postremum certamen cogitari potest absque umbra quadam super labias illorum pendente, qui aequales eorum amaverunt, et qui bene locuti sunt de anima, quae non videtur, et tamen est, utique est. Sed extant in nobis, amice mi, irae impetus qui etiam aestatis splendorem obtenebrare quaeunt. Extant, bene novi, irae tam ardentes quae nec cursu verborum, nec etiam idearum vel rationum cursu placari possunt.

Helena :
Satis bene, heu, hoc novi.

Cardinalis :
Non vos alloquebar.

Helena (*comme si elle n'avait pas entendu*) :
Satis bene, heu, hoc novi. Ira est velut quidam dolor immanis, qui quondam se per vim insinuari valuit in artus nostros intimos, maxima desperatione delirantes. Et cum ira illa in intimis nervositatis nostrae sedem suam elegit, nihil potest nisi debiliores nos efficere, ac sensus desideriaque nostra decipere. Renate, noscere nunquam valebis quam intensa sit ira

318

mea. De die in diem omni modo enitui te celare huius irae rationem, necnon horribiles illos tremores manuum et palpebrarum ab ea concitatos. Satis nunc habeo. Nunc loquar.

Cardinalis :
Nolite vos rustice gerere. Prae vos abdite dolorem vestrum, ut sinceram decet mulierem.

Cartesius.
Helena, filiam meam videre cupio. Exquiratur filia mea ubicumque, in Francia, in Hollandia et vel in coloniis, si opus est. Francinam iubeo mihi adduci (*il tousse*). Antequam in tenebras mergar perpetuas, volo filiam meam quid sit lux docere. Mater mea asserere solebat semper prope me exstitisse, quotiescumque novas ratio-cinationes haesitantibus verbis primo proferebam. Cum arbores nudae sunt foliis, oportet pulchras mulieres sibi circumdare. Propius accede, Helena, quaeso. (*Hélène s'approche machinalement*).

Helena :
Filia nostra mortua est, ut bene nosti.

Cartesius :
Quam crudelis es vindicta tua ! En utique quod iram tuam vocas ! Filiam meam deserere, hoc est ira tua. Nives cadunt, ut puto. Aestuo. (*S'adressant à Hélène comme si elle était sa servante*). Praebe mihi librum illum, illic super tabulam iacentem. Vellem, domine cardinalis, paginam quandam vobis ostendere. Exue

vestem tuam, Helena. Te obsecro corpus tuum nudare, ut oculi mei quietem tandem inveniant. Fenestras pandite. (*Hélène ouvre un instant la fenêtre et la referme aussitôt*). Frigus est. Glacialis est algor iste. (*Puis doucement*) Quotiescumque frigore cursu vitae meae alsi, semper recordatus sum illius religiosae mulieris, iuvenis adhuc satis, in quam quondam Turonis incideram. Annus intercesserat ex nativitate Francinae. Adhuc bene memini. Glaciei fragmenta subgrundas obruerant. Grassa glacies agros undique operiebat. Aptis verbis religiosa illa delectabatur, verbisque utebatur ut magistra. Nihil aliud cogitabat nisi itinera. Nondum in monasterium intraverat, et iam nihil aliud desiderabat nisi longe proficisci, in aliam terrae continentem. Quamvis vidua esset, de morte viri eius nullomodo commota videbatur. Filium habebat quem, ut asserebat, in optimas religiosasque manus relinquerat. Longius locuti eramus de vita et de corpore, praecipue tamen de passionibus animae. Passiones enim animae nos ubi nostra sistit sors perducunt. Illucescebat. Maria ad missam audiendam properabat. E coemeterio ego redibam, ubi de numero corporum quae suppeditari potuissent scisci-taveram, sperans utique mortuum quoddam corpus dissecari quantocius licere. Sperabam enim hac dissectione aliquid discere de illo "igne sine luce" in nobis palpitante, tam for-titer interdum ut corpus nostrum calefaciat, quamvis animale sit et simplici machinae simile. Sitio. Aquam, aquam.

Cardinalis :
Citius aquam afferte homini isto. (*Puis sur un ton normal*). Propediem in Venetias et Romam iter arripiam.

Cartesius :
Nolite, quaeso, nomina haec proferre urbium ubi tam felix et beatus fui. Sciatis deambulationes me semper amasse. Semper mihi gratum fuit secundum ripas Serenissimae perdiu deambulare, gaudium tamen maius accipiebam deambulando in Urbe, colles circumquaque ridentes oculis pervagando. Aquam, aquam !

Changement d'éclairage. On retrouve la même atmosphère qui régnait dans la chambre lorsque les femmes sont arrivées au début du chapitre. Les actrices se tiennent placées autour du lit comme les porteurs d'un cercueil à l'entrée et à la sortie de funérailles. Chacune regarde devant elle.

Narratrice

Pourquoi ne lui donnes-tu pas à boire ?

Carla

Je ne peux pas. Pas tout de suite.

Narratrice

On dirait qu'il est vrai.

Carla

C'est pour ça que j'écris des romans. On dirait chaque fois que c'est vrai. Et en même temps on a aussi très peur.

Narratrice

Je n'aime pas ce passage dans ton livre. Il me fait penser à maman. Je croyais être guérie du mot agonie. Ce passage est-il vraiment nécessaire?

Carla

Quand un mot nous trouble, il faut l'entourer de mots simples qui font image comme tulipes de Hollande, sapins de Noël ou orgues de Barbarie. En d'autres circonstances, il vaut mieux jongler avec des mots dont le sens est si ambigu qu'une partie de notre angoisse s'y engouffre passablement bien.

Simone

Vous avez raison, Carla. Toute ma vie, je me suis laissé prendre, attirer, attiser par des objets. Quand ils rallumaient en moi des passions trop fortes, je m'empressais de les retourner sur eux-mêmes de manière qu'ils ne montrent que la forme de leur utilité ou leur réelle valeur sur le marché des artefacts.

Carla

Marcher au bord d'un lac m'a toujours fait du bien, je veux dire reposé l'esprit. Le bleu, cette fascination pour le bleu, je l'ai toujours eue. Simone, donnez-moi un peu d'eau. Dans le roman, Francine a de beaux yeux bleus. Un bleu qui aurait pu consoler la terre entière de tous les coups d'épées et de canons qui ont bouleversé les continents. C'est à cause de la guerre que nous sommes condamnés à la mélancolie. (*Carla continue mais elle parle maintenant en son nom.*) Marcher au bord d'un lac comme maman le faisait à quinze ans les cheveux au vent, un brin d'herbe et une petite histoire entre les lèvres. Aller au-devant de soi et du futur été. Avoir été.

Cardinal/Carla

Mon cher René, je ne crois pas beaucoup à ces histoires de mélancolie. (*Il semble hésiter un moment.*) Oh! peut-être après tout avez-vous raison. Tenez, si j'oublie un instant ma soutane et mon rang, je sombre dans je ne sais quoi d'étrange qui me met sous la langue une saveur douce, avec je ne sais quoi sur mon visage qui me ferait penser aux cheveux de ma mère quand elle se penchait pour me baiser le front. C'est bien ça que tu voulais dire n'est-ce pas, que nous avons tous une mère et une enfance?

Narratrice
(*en montrant un personnage
imaginaire sur le lit*)

Vous voyez bien qu'elle n'a plus d'énergie.

Cardinal/Carla

Vous n'avez pas à me dicter ma conduite.

Carla

(*On entend les cloches de l'église comme à
la sortie des gens après des funérailles. Carla
s'installe devant la coiffeuse et entreprend de se
démaquiller.*)
J'ai vu des écrivains se dissoudre dans la multi-
plicité des possibles fragments de vie et de
fiction. Ils devenaient alors incapables de
choisir un sujet. En fait, on aurait dit que, une
fois la création littéraire démocratisée et mon-
dialisée, les écrivains ne ressentaient plus le
besoin de choisir. Tous les sujets semblaient
avoir la même valeur, la même saveur, pouvaient servir d'entrailles, de poubelles ou de
maquillage, restaient là suspendus comme de
petites entailles à la surface du sens et du
temps. J'ai aussi connu des écrivains incapables
de profiter du silence qui s'offrait à eux après
l'amour ou le deuil. Vers la fin, j'en ai vus qui
pour se faire remarquer prenaient des airs naïfs,
niais et inoffensifs de manière à ne pas effrayer
leur lectorat ou à devoir se prononcer sur
la réalité. Les femmes, au contraire, devaient

pour se faire remarquer se montrer violentes, sexuelles et bourrées de contradictions. La ferme ! Bien sûr, il y avait des ouvertures. La diversité que l'on retrouve dans une basse-cour m'a toujours fait rêver. Du coq à l'âne, du chien à la puce, de la vache à la souris. Oui, entrer dans l'errance des chiens comme entrer dans le vif du sujet en inventant des dialogues pour chaque espèce. J'écris à un moment de l'histoire, hé ! Narratrice, tu ne dis rien, ou papier froissé et boulettes de papier n'ont plus leur raison d'être puisque ça ne rature plus, efface à peine, tout juste du bout des lèvres. Tous les matins dans ma chambre du Clarendon avec *top* vue sur le fleuve Saint-Laurent, je rêve d'une génération qui serait portée sur le silence comme d'autres le sont sur le sexe. Un silence fait du croisement de l'intelligence de toutes les formes de douleur et de plaisir qui nous font soupirer, nous age-nouiller devant la mer, nous obligent à la respirer jusqu'à ce qu'au fond des yeux plus rien ne compte qu'elle. Hé ! Narratrice, savais-tu que, devant la maison de mon papa ficelé, j'ai enterré une grammaire latine que les sœurs Laramée m'avaient confiée comme un trésor ? Oui, au même endroit où, allongée sur le sol frais, j'allais inventer des scénarios ludiques en pensant à la reine Cristina et au vaste monde qui sommeillait en moi comme un volcan tran-quille. Et narratrice, savais-tu qu'il faut tou-jours s'adresser ou faire semblant de s'adresser à quelqu'un quand on écrit...

La narratrice vient se placer devant Carla qui
disparaît ainsi que toute la scène dans le noir.
Rideau. Ou

Chapitre cinq

J'ai pris des notes jusqu'à la fin sans m'apercevoir que la fin était arrivée. Je voulais que chaque instant soit entier, que rien ne m'échappe de la chambre ni du décor. Du visage ni des masques. J'ai noté attentivement la disposition du corps, la place des meubles, la lumière du dehors et l'éclairage du dedans. Dans la chambre voisine, quelqu'un écoutait toujours le même tango. Il faisait chaud. Personne n'avait songé à mettre la climatisation ou à ouvrir la fenêtre. Dehors, le son répété des cloches d'une église résonnait à fendre l'âme. Je prenais des notes et quelqu'un mourait au milieu des notes que je prenais. Nous aurions pu être à Madras, à Pétra, à Québec ou à Stockholm, l'âme de quelqu'un s'en allait enrobée dans le tissu fin de ce qu'avait été sa vie amoureuse. Lentement, la pâleur de l'aube nous quittait, nous dépouillait de tout rêve. Pendant un temps qui m'a semblé long, des gens ont circulé dans un va-et-vient constant, étrange ballet de médecins, internes, infirmières, parents, balayeurs discrets, figurants puis figures et visages dans le matin qui déjà bougeait malin gris et jaune couleur de gouttes optiques qui embrouillent la vue et les pensées.

J'ai eu raison de vouloir rester pour décrire les objets tout en essayant de les caser dans le temps et l'histoire. Maintenant, je sais qu'il existe une méthode pour situer les choses dans l'aventure des cultures. Je sais surtout que l'art de la conservation est bien fondé. Bague, montre, miroir, masque ou stylo, chaque objet cache un récit, une vie microscopique qui, lorsque nous la découvrons, redonne vie aux gestes anonymes et distraits avec lesquels nous déplaçons et utilisons les objets. Il est possible que nous existions pour nommer les objets et peut-être le faisons-nous parfois d'une manière erronée pour le simple plaisir de voir un vase se transformer en rose et abriter dans sa transparence un visage aimé, un paysage neuf. Certes, les objets ne sont pas tout à fait des choses. Les choses, elles, ont le pouvoir de se mouvoir comme les événements dans une histoire : elles arrivent, elles meurent. Je voudrais que chacune de mes notices serve d'éclairage aux objets de manière que la chose en eux qui les rapproche de nous palpite et scintille de vie.

J'ai pris des notes jusqu'à la fin pour ne pas chuter à l'horizontale vers le futur été. Avant la fin, j'aurais aimé me départir de cette obsession qui m'attache à mon corps défendant à l'idée qu'il ne faut pas avoir peur de « cracher » du bien fait, bien dit sur autrui. Au fond, cette femme avec qui je passais des nuits entières à boire et à causer n'en a jamais parlé mais l'enjeu, il est là quoi qu'on en dise. Savoir cracher proprement dans la langue : mépris, colère, révolte, joies, extases et petits ennuis, désirs et emportements en se disant que tout ça va sûrement atteindre autrui au meilleur endroit de son humanité, là où, à chaque tournant, on reprend espoir et croyance en l'espèce.

Pas un instant, je n'ai quitté des yeux le lit, le corps, le masque étroit qui collait à la peau du visage pendant que la vie, dans un ultime effort, faisait tout pour ne ressembler à rien. Chaque battement des cils, le moindre mouvement des paupières, la sécheresse inondée de la bouche, l'envers du décor palpitant comme un vieil écran au fond des pupilles, tout cela je l'ai noté en pensant que je voulais vivre avec des pensées vastes et déployées de manière à pouvoir toujours frôler l'énergie vitale engendrée par la mer au fil des siècles.

Je regardais dans la bouche de ma mère. Là, on aurait dit que, à force de regarder, je pouvais transformer le soleil de l'aube et celui du couchant en scintillements heureux. Petites lames argentées qui, en détournant mon attention, me ramenaient, côté jardin, dans un décor trompeur et un silence connu pour abriter des verbes de temps et une abondance de répliques. Plus tard, j'ai noté comment la densité du silence peut varier selon qu'il pénètre directement dans la bouche ou qu'il disperse soigneusement les quelques mots encore en train de festoyer sous la langue avant que la nuit ne s'y installe à tout jamais.

J'écrivais absorbée dans mes notes jusqu'au point d'oublier la ville où je vivais et le nom de cette femme avec qui j'aimais tant parler. J'ai retranscrit des passages entiers. Il m'aurait sans doute été possible d'utiliser d'autres mots pour que le visage de ma mère prenne vie et jeunesse au cœur du passé, de ses modes et de ses musiques d'époque. Mais tous ces autres mots m'auraient amenée à ficeler maman dans une histoire de vie. Et de la vie, je ne voulais que le mouvement. Pas vraiment d'histoire. Toutefois, j'ai pris la peine de noter que le personnage de Carla Carlson n'avait jamais eu peur de rien sinon de cette obligation qu'elle s'était faite de comprendre et simultanément d'aimer la forme de palpitation bruyante que les générations se transmettent sous le nom simple de jeune vie allant son chemin.

Réplique après réplique, je me suis attaquée aux nœuds et aux liens, cherchant à comprendre comment les nœuds se formaient à partir d'un mot, autour d'un moi dur devenu complexe ou tout simplement mystérieux. Plus tard, j'ai bien remarqué comment les nœuds retenaient une forme de douceur puis, au moment le plus inattendu, la relâchaient de manière spectaculaire en installant autour d'elle des personnages, des acteurs, des témoins désireux de faire tressaillir tout ce qui peut bouger dans les villes et les dictionnaires de noms propres. J'ai noté comment il est difficile de faire demi-tour ou semblant de vivre innocemment en tenant le nom d'une femme, d'un personnage ou de dieu entre ses dents. Tout ce temps, quelqu'un mourait devant moi. Des actrices aux larmes de mascara facilitaient le passage de la réalité à la blancheur sans nom de l'ailleurs. J'ai pensé qu'il fallait des bras parfaitement nus pour le délire, le songe et l'agonie qui, avec ses ombres, persiste longtemps sur la rétine en atteignant le cœur même de notre capacité à imaginer.

Le soir en rentrant à l'hôtel, les poches pleines de bouts de papier et de cartons d'allumettes, je continuais de noter les sons graves et aigus, les phrases muettes qui durant la nuit allaient prendre place au fond ma gorge et me donnaient de soudaines envies, comme cela arrive lorsqu'on remarque la douceur avec laquelle la lumière du petit matin pénètre le rideau tendu ou quand elle se déverse d'un seul rai dans les pages d'un livre bien écrit oublié sur le divan.

En prenant toutes ces notes, je croyais pouvoir avancer dans l'indicible, faire des boucles existentielles avec le souvenir que j'avais gardé de la beauté du ciel et de la ville au mois de mai. Jusqu'à la fin, attentive et alerte en chacun de mes muscles, j'ai tout fait de manière à pouvoir m'immobiliser dans le temps pour que vie résulte de vie. Les notes que je prenais étaient comme de petites excursions qui me permettaient d'aller fouiller dans les pensées de ma mère, de m'engouffrer dans les bras de Simone Lambert et d'aller courir au milieu des pages écrites par Carla et des livres que j'avais lus pendant les trente dernières années. Je prenais des notes à cause de la mer qui bruissait dans ma tête et de tout ce qu'il y avait de beau. Des notes encore pour revenir à l'idée d'un nous, d'une continuité au soleil.

Je suis restée dans la chambre, mue par une passion de chercheuse héritée sans doute de ma mère. Tout en notant les signes de la fin, j'ai pris conscience de mon envie de partir, d'aller retrouver la vraie vie dehors, indescriptible tant elle me semblait minimaliste et simultanément pleine de rondeurs rabelaisiennes. Curieusement, cet élan me rapprochait de la réalité, me donnait envie de la prendre au sérieux, d'autant plus que depuis toujours j'avais fait le pari d'entrer dans sa partie invisible, là où, diton, les particules de vie n'ont d'autre fonction que de faire rideau d'illusions entre nous et le moment de notre disparition. Debout, épuisée par le manque de sommeil, je pensais au futur de la réalité. Je la voyais soudain comme une science exemplaire tout en lois et trouvailles qui méritent quotidiennement d'être explorées avec des pourquoi et des explications, une abondance de soupirs et de précautions clandestines.

Longtemps après la mort de maman et celle de Descartes, j'ai continué de noter comme si avec chaque mot je creusais un petit tunnel débouchant sur le mot univers. C'est là que je voulais aller en regardant pour la dernière fois les joues de maman, l'index de Descartes pointé, on aurait dit, contre son gré vers la fenêtre et le décor enneigé. Au fond, tout cela je l'ai fait pour me rapprocher du mot univers, le caresser, le soupeser, le choyer comme une certitude et une blessure avec indices de guérison.

Jusqu'à la fin, malgré la fatigue et le sommeil, j'ai cherché à comprendre ce qui était arrivé mais sans chercher à tirer une conclusion. Je reste vigilante dans le seul espoir que rien de ce qui fut n'ait été inutile. Aujourd'hui, je me tiens immobile devant le fleuve. Un livre et un cahier sous le bras, une capsule rare dans ma bague thaïlandaise, sourire aux lèvres, je note tout ce qui pourrait passer pour une histoire.

QUELQUES NOTES TROUVÉES
DANS LA CHAMBRE
DE L'HÔTEL CLARENDON

1.

Une fille avec de gros seins marche au bord du fleuve. Baladeur à la taille, écouteurs plaqués aux oreilles, appareil photo numérique dans la main droite, elle s'arrête tous les trois mètres pour regarder, soulever, remettre à sa place un caillou blanc couleur os, crème café ou noir encre pendant que je pense à la plage de Deauville, au vent froid qui frôlait des assiettes de fruits de mer dont les noms nouveaux faisaient tout un plat à mes oreilles. Une autre fille est venue s'asseoir sur un banc protégé par un parasol en bois. La fille s'est mise à écrire dans un grand cahier, la tête penchée, ses beaux cheveux noirs tombant sur les joues. Dix mètres de sable fin nous séparent ainsi qu'un gros baril bleu poudre qui sert à mettre des papiers, des peaux de banane et des cœurs de pomme. Devant nous, c'est le fleuve aujourd'hui couleur émeraude.

2.

La langue est ainsi faite qu'on peut sauter à pieds joints sur ses exceptions en les écrasant de tout notre poids d'amour et de douleur. « Brûler » est un verbe qui me convient.

3.

Faire dire à Carla qu'il lui arrive de s'interroger sur ce qu'elle appelle « l'identité heavy ». Une manière d'exister qui enlève toute possibilité de foncer ou de frapper fort dans la légèreté de l'être. Elle dit aussi qu'il faut savoir sauter haut afin d'apprendre à retomber sur son passé. Elle parle de la notion du *Tigersprung* tout droit sortie d'une métaphore de Walter Benjamin. Ce soir, je sais que la nuit sera blanche et qu'il y aura en nous des Négresses attentives à la liberté et aux moindres caprices du désir. Ce soir, ce qui arrivera n'aura de réel qu'une fois transcrit dans la langue que nous aurons choisie. Pour parler du livre à venir et de l'énergie violente au bout du corps et de ses métaphores. Carla dit que les métaphores ont pour fonction de frayer un chemin aux meilleures intuitions qui sommeillent en nous comme de vivants tournesols ou comme ces arbres appelés flamboyants qui, depuis qu'elle les a vus en fleurs, lui ont ouvert une porte à l'extase.

5.

(Décrire les chiens errants aperçus hier matin sur les plaines d'Abraham. Laisser la parenthèse ouverte et enchaîner avec ce qui suit :

dès que la nuit tombe, Simone pense à la vie privée…

6.

les coqs les chiens la poussière sans les virgules.

7.

nous attendons toujours la suite. Dès qu'une phrase commence, nous attendons…

8.

parfois elle s'imagine en train de faire de grands *x* sur la mer comme d'autres d'un trait défont le paysage avec un pinceau, une machette, plonge *une lame dans l'espèce* (garder cette expression pour le titre d'un prochain livre).

9.

la réalité résiste malgré son air innocent, son mutisme de vache folle qui de loin finit par ressembler à un graffiti dans la lumière pâle des néons de nuit

10.

Montréal me manque. La douceur lisse des premières soirées de mai où on peut marcher dans le Vieux-Port et respirer la nuit avec une idée de l'indicible dans la gorge. Le bruit urbain, bruit du désir et de sa chaleur lente sur la nuque, le long des reins. Odeurs emmêlées des tabacs et du fleuve.

Faire parler Axelle plus souvent. La doter d'une énergie désirante. Faire de l'effet. Faire un effort d'imagination. Me servir de son désir comme d'un point d'appui pour le futur tout en inter-rogeant l'autonomie du désir en regard des modes, des cultures et de la langue parlée. Chercher plus d'information sur ce qu'on appelle l'ADN égoïste.

12.

Peur que la réalité redevienne fiction au fond de la nuit des temps. Peur du contraire.

13.

Je pense trop souvent aux matins blêmes de Stockholm, aux palmiers de Dublin. Observer les autres m'aide à vivre. Dans la chambre voisine, une femme de chambre chante *La vie en rose*. Décrire avec plus de précisions les rues de Québec et de Stockholm.

Blessure : n.f. Lésion faite aux tissus vivants par une cause extérieure, invo-lontairement ou pour nuire.

Blesser des idées, des convenances, la pudeur. Déception : le mot m'apparaît aujourd'hui d'une fadeur sans nom. Hier, je l'avais pourtant imaginé rouge comme dans les toiles du Caravage et de Carpaccio. Ou efficace métaphore tombant comme une lente poussière imprimant son rouge de douleur sur nos épaules comme dans une installation d'Ann Hamilton.

Toujours faire semblant d'être du côté de la vraie vie. Journée d'éclairs et d'électricité foudroyante. J'accumule les notes, les pensées sur les ruines, le passé. Hier, un autre terrible orage. Pendant ma visite au musée, nous avons manqué d'électricité. Relire *Les Passions de l'âme*.

Je l'imagine replaçant la page dans son contexte. Les mains de Carla sont bronzées, sans bijoux, des ongles soignés. Des mains calmes que je suis dans l'incapacité d'imaginer sur un clavier d'ordinateur. Des mains qui font une belle main d'écriture, souples, bien adaptées à la lenteur des mots manuscrits. Une peau fine sous laquelle le sang des veines bat rapide comme un argument vivant. Ces mains-là me font traverser le temps. Les mains de Carla défont le corsage d'Hiljina. Je devine, je respire et je la devine encore.

Angoisse des mots : animal végétal petit être ara arabe agréable érable table râble de lapin lapon et harpon ardent Harpagon, rage d'Aragon, racoon, cocooning, coco nuts (noix) nœud un nous neuf ouvre un œuf de couleur et de couleuvre œuvre lièvre leurre et lierre erre guerre gueule souffle soif soi et seule sois

Revu les chiens errants sur les plaines d'Abraham. Cinq. De grands chiens bâtards maigres et nerveux humant le malheur dans la rosée du matin et l'herbe nordique.

Poursuivre la recherche sur les tableaux de Francis Bacon, surtout sur la série des cris exécutée dans les années 50. Ces cris qu'il disait « trop abstraits ». Cris qui en traversant la bouche transforment le visage en une béance terrifiante. Plus précisément faire porter la recherche sur la série des Papes d'après Vélasquez. Regarder attentivement la toile de Vélasquez intitulée *Le pape Innocent X* qui date de 1650, année de la mort de Descartes.

Bien que hautement morale, on dirait que je perds ma faculté de jugement. Hier, en marchant sur les plaines d'Abraham, j'ai pris des notes pendant qu'un grand chien noir agonisait devant moi. Nuit d'insomnie.

Essayer de retracer l'œuvre sonore de Mark-Anthony Turnage, *Three Screaming Popes series : after Francis Bacon for Large Orchestra*. Seize minutes.

Relire une autre fois le manuscrit incomplet. Il y a des jours où, complètement grisée par la langue, j'ai très envie d'une femme.

Sur le théâtre, faire dire à Carla : « On prétend que c'est du corps. Je dis que ce sont des mots au présent qui ont besoin de langue et de muscles. De là, cette curiosité que j'ai développée pour l'anatomie et les travaux de Mondino dei Liucci et par la suite pour ceux de Descartes. »

Ajouter : Et puis une image se détache des autres, découpée sur le fond ocre satiné de la salle de bain. Alice est allongée dans la baignoire. Simone est agenouillée sur la tuile blanche. Elle frotte les épaules et le dos d'Alice avec un savon de Provence qui multiplie la douceur de la peau et des gestes. Il y a des bulles de savon à la surface de l'eau, sous les seins, autour de la taille. La peau d'Alice est rose à cause de l'eau très chaude. Simone regarde Alice jusqu'au fond de l'âme là où il n'y a plus de destin singulier. Alice l'embrasse. Simone lui tend un peignoir. Alice continue.

Stockholm dans le noir et le blanc de l'aube : un homme marche le dos courbé au milieu de l'encre noire d'une gravure aperçue, rue du Trésor, avant d'entrer au Clarendon. Hubert Aquin marche dans les rues d'une ville étrangère en titubant vers son destin. Je n'en peux plus de faire tenir les solitudes debout dans le vent gris qui s'abat sur le fleuve.

Nous avons pris l'habitude d'aller marcher sur la terrasse Dufferin. Parfois, elle me prend par le bras comme le font souvent les Européennes. Hier, il faisait chaud, je pouvais sentir la douceur de sa peau, la chaleur de sa main sur mon avant-bras. Aujourd'hui le fleuve est violet. Quand on regarde du côté de Lévis, il faut protéger ses yeux, la main à l'horizontale, l'index collé sur le front.

Noir. Au cours de sa vie, Simone est descendue à plusieurs reprises dans les caveaux, mausolées, mastabas. La peur de se retrouver nez à nez avec les civilisations, coincée entre leurs silences majestueux et l'écho terrifiant des cris lancés dans le cosmos par de jeunes et de vieilles femmes condamnées à circuler depuis la nuit des temps entre le sable, les aiguilles et le quartz des heures.

La peine est immense. On ne sait pas d'où elle vient, où elle va. Au cinéma, elle ressurgit parfois à l'occasion d'une séparation, d'un départ. Une peine énorme qui s'installe dans la gorge, les yeux, se répand dans la poitrine comme

une brûlure, une étreinte qui fait suffo-
quer. Je n'arrive pas à comprendre d'où
vient cette peine qui n'appartient à personne en particulier mais qui circule, au
milieu de nous, contagieuse, épuisante
et nécessaire comme l'art qui nous oblige
à prendre soin de ce qu'il y a de plus
précieux et de vulnérable en nous.

Revoir les photos prises par David
McMillan lors de ses six séjours à
Tchernobyl et à Pripiat. Photos de l'ini-
maginable ou nostalgie à l'appui, photos-
preuves de notre bref passage violent
et sadique au milieu de la forêt et des
saisons. Il est fort probable que
McMillan ait lui-même rédigé les
notices accompagnant ses photos. Celle-
ci me plaît.

David McMillan
Parc d'amusement, Pripiat,
Octobre 1994
Épreuve à développement chromogène

La ville de Pripiat possédait la plupart des
équipements habituels d'une ville soviétique
moderne. Le parc d'attractions était même
pourvu d'une grande roue appelée « roue de
l'enfer ». L'accident est survenu quelques
jours seulement avant le Premier Mai, une
période de grande activité pour le parc. Dans
cette photographie, le pâle rougeoiement

d'un météore qui se consume en tombant du ciel est la seule preuve manifeste de mouvement.

La mémoire, on dit que c'est du silence ingouvernable. Tant mieux si l'écriture permet de détourner le cours des choses et d'irriguer là où le cœur est sec et demandant.

C'est juste une petite phrase pour guérir.

Texte original des pages 317 à 321. Notons que la traduction latine n'a pas été faite intentionnellement en latin classique mais en latin familier que pouvaient parler entre eux les gens cultivés de l'Europe à cette époque. En particulier, le traducteur a gardé (avec certaines constructions syntactiques typiques de ce latin) la différence entre le « tu » et le « vous » que ne connaissait pas le latin classique, mais qui était habituelle dans le latin médiéval.

Descartes :
Quelle étrange chambre ! Je ne m'y reconnais pas. Que cache ce petit rideau là-bas, cache-t-il la vérité ? Il neige ? Hélène, est-ce qu'il neige ? Je n'arrive pas à distinguer le sapin, le très grand, le très haut arbre qui me trouble chaque fois que mon regard se pose sur lui comme s'il était à lui seul un paysage. Hélène, ne t'éloigne pas. Donne-moi ta main. Touche mon front. Laisse-moi t'imaginer une dernière fois. Nue. Je voudrais que tu sois nue, une dernière fois devant mon regard déjà vacillant. Je voudrais encore écrire. Je voudrais que tu sois nue. Je veux écrire et que tu sois nue comme l'aube.

Cardinal :
Chaque fois, toutefois, il faut laisser l'ombre s'approcher de nous sans la repousser. Seule l'ombre rend l'agonie vraie. Il n'y a pas de version agonique sans une ombre suspendue

au-dessus des lèvres qui ont aimé leurs contemporains et bien parlé de l'âme qu'on ne voit pas mais qui est là, qui est là. Il y a des colères en nous, mon ami, qui enténèbrent la lumière de l'été, je le sais, il y a des colères qui ne s'apaisent pas au fil des mots, au fils des idées et du raisonnement.

Hélène :
Oh ! je ne le sais que trop.

Cardinal :
Je ne m'adressais pas à vous.

Hélène *(comme si elle n'avait pas entendu)* :
Oh ! je ne le sais que trop. Une colère est une peine énorme venue violemment un jour se lover dans nos membres fous de désespoir. Une fois installée dans notre système nerveux, elle ne peut que nous affaiblir, tromper nos sens et nos désirs. René, vous n'avez pas idée de ma colère. Tous les jours, je m'efforce de vous en cacher la source et les horribles tremblements de mains et de paupières qu'elle suscite. Aujourd'hui, c'en est assez. Je parle.

Cardinal :
Ne soyez pas vulgaire et gardez votre peine pour vous seule comme une vraie femme devrait savoir le faire.

Descartes :
Hélène, je veux voir ma fille. Que l'on cherche ma fille où qu'elle soit, en France, en Hollande

ou jusque dans les colonies s'il le faut; j'ordonne (*il tousse*) qu'on m'amène Francine. Je veux instruire ma fille de ce qu'est la lumière avant de m'assombrir à tout jamais. Maman disait toujours avoir été là auprès de moi lorsque je balbutiais un nouveau raisonnement. Quand les arbres sont nus, il faut être entouré de jolies femmes, Hélène, je t'en prie, approche un peu. (*Hélène s'approche machinalement.*)

Hélène :
Notre fille est morte, vous le savez bien.

Descartes :
Comme tu es cruelle dans ta vengeance! C'est ça que tu appelles ta colère! C'est ça ta colère. Abandonner ma fille. Il neige, n'est-ce pas? J'ai chaud. (*S'adressant à Hélène comme si elle était sa servante*) Veuillez me donner ce livre là-bas sur la table. Il y a un passage, cardinal, que je veux vous montrer. Dénude-toi, Hélène, je t'en supplie dénude-toi que mes yeux se reposent enfin. Qu'on ouvre la fenêtre. (*Hélène ouvre un instant la fenêtre et la referme aussitôt.*) Il fait froid. Ce froid est glacial. (*Puis doucement*) Chaque fois que j'ai eu froid dans ma vie, j'ai pensé à cette jeune religieuse que j'avais rencontrée à Tours. C'était un an après la naissance de Francine. Je me souviens. Des glaçons s'étaient formés le long des gouttières. Les champs étaient recouverts d'une épaisse couche de glace. La religieuse aimait les mots et elle les utilisait comme un maître sait le faire. Elle ne rêvait que de voyage. Elle venait

d'entrer au couvent et déjà elle ne pensait qu'à partir au loin, vers un autre continent. Bien que veuve, elle ne semblait nullement affectée par la mort de son mari. Elle avait un fils qu'elle avait, disait-elle, laissé entre de bonnes mains religieuses. Nous avions longuement parlé de la vie et du corps. Des passions de l'âme surtout, car ce sont elles qui nous guident là où est notre destin. Le jour commençait à poindre, Marie se rendait à la messe. Je revenais du cimetière où je m'étais renseigné sur le nombre de cadavres disponibles en espérant qu'une dissection serait bientôt possible et que je pourrais enfin mieux m'instruire sur ce « feu sans lumière » qui bat parfois si fort en nous qu'il réchauffe notre corps d'animal et de machine simple. J'ai soif. De l'eau! De l'eau!

Cardinal :
Donnez vite à boire à cet homme. (*Puis sur un ton normal*) Je partirai bientôt pour Venise et Rome.

Descartes :
Ah! Je vous en prie, ne prononcez pas ces noms de villes où je fus si heureux. Je suis un homme de promenades, vous savez. Longuement marcher le long des canaux de la Sérénissime me fut une joie, quoique je l'avoue moins grande que celle que j'eus à marcher dans Rome tout en regardant ses collines joyeuses arrondir l'horizon. De l'eau! De l'eau!

1. Citation du poème d'Homero Aridjis extraite de :
    Des yeux d'un autre regard/Ojos de otro mirar
    Traduction d'Émile Martel
    Écrits des Forges/Ediciones El Tucan de Virginia, 1999.

    Combien pèse un œil dans la balance ?
    Combien mesure un rêve entre deux
       paupières ?
    Combien pèse dans ta main un œil fermé,
       un œil de mort et un œil ouvert ?

2. On trouvera aussi dans le roman, des citations de : Assia Djébar, Silvina Ocampo, Violette Leduc et Alighieri Dante.

1. *Notre-Dame-des-Fleurs* de Jean Genet
2. *La promenade au phare* de Virginia Woolf
3. *Paradiso* de José Lezama Lima
4. *L'obéissance* de Suzanne Jacob
5. *Benito Cereno* de Herman Melville
1. *Le monde sur le flanc de la truite* de Robert Lalonde
2. *L'Euguélionne* de Louky Bersianik
3. *Un air de famille* de Michael Ondaatje
4. *Le livre de Promethea* d'Hélène Cixous
5. *Héroïne* de Gail Scott
6. *Enfance* de Nathalie Sarraute
7. *Demain dans la bataille pense à moi* de Xavier Marias
8. *Molloy* de Samuel Beckett
9. *La traversée du fleuve* de Caryl Phillips
10. *Les derniers rois mages* de Maryse Condé
11. *Le temps retrouvé* de Marcel Proust
12. *Le premier homme* d'Albert Camus
13. *Fortuny* de Peré Gimferrer
14. *La petite fille qui aimait trop les allumettes* de Gaétan Soucy
15. *La mort de Virgile* de Hermann Broch
16. *Fontainebleau* de Michael Delisle
17. *Le soir du dinosaure* de Cristina Peri Rossi
18. *Yeux bleus les cheveux noirs* de Marguerite Duras
19. *Un homme est une valse* de Pauline Harvey
20. *Mon année dans la baie de personne* de Peter Handke
21. *Les derniers jours de Noah Eisenbaum* d'Andrée Michaud
22. *Pereira prétend* d'Antonio Tabucchi
23. *Histoires pragoises* de Rainer Maria Rilke
24. *Prochain épisode* d'Hubert Aquin
25. *Cobra* de Severo Sarduy
26. *La vie en prose* de Yolande Villemaire
27. *Le corps lesbien* de Monique Wittig

28. *Technique du marbre* de Béatrice Leca
29. *Le désert mauve* de Nicole Brossard
30. *Extinction* de Thomas Bernhard
31. *Le rivage des Syrtes* de Julien Green
32. *Thérèse et Isabelle* de Violette Leduc
33. *La déconvenue* de Louise Cotnoir
34. *Méroé* d'Olivier Rolin
35. *Soifs* de Marie-Claire Blais
36. *Les fous de Bassan* d'Anne Hébert
37. *L'oratorio de Noël* de Göram Tunström
38. *Le livre du devoir* de Normand de Bellefeuille
39. *Le bois de la nuit* de Djuna Barnes
40. *Bonheur d'occasion* de Gabrielle Roy
41. *Lumpérica* de Diamela Eltit
42. *Le palace* de Claude Simon
43. *Parc univers* d'Hugues Corriveau
44. *La mer* de Michelet
45. *Microcosmes* de Claudio Magris
46. *Dieu ne nous veut pas contents* de Griselda Gambaro
47. *La Nuit* de Jacques Ferron
48. *Le cœur est un chasseur solitaire* de Carson McCullers
49. *L'avalée des avalées* de Réjean Ducharme
50. *Paulina 1880* de Pierre Jean Jouve
51. *La Mémoria* de Louise Dupré
52. *Poussière sur la ville* d'André Langevin
53. *Pylône* de William Faulkner
54. *Histoire universelle de l'infamie/Histoire de l'éternité* de Jorge Luis Borges
55. *Autobiographie d'Alice B. Toklas* de Gertrude Stein
56. *Jos Connaissant* de Victor-Lévy Beaulieu
57. *Vie et opinions de Tristram Shandy* de Laurence Sterne
58. *Nous parlerons comme on écrit* de France Théoret
59. *La vie mode d'emploi* de Georges Perec

De la même auteure

Poésie

« Aube à la saison », dans *Trois*, Montréal, Éditions de l'AGEUM, 1965.

Mordre en sa chair, Montréal, Éditions de l'Estérel, 1966.

L'Écho bouge beau, Montréal, Éditions de l'Estérel, 1968.

Suite logique, Montréal, Éditions de l'Hexagone, 1970.

Le Centre blanc, Montréal, Éditions d'Orphée, 1970.

Mécanique jongleuse, Paris, Génération, 1973.

Mécanique jongleuse suivi de *Masculin grammaticale*, Montréal, Éditions de l'Hexagone, 1974.

La Partie pour le tout, Montréal, Éditions de l'Aurore, 1975.

Le Centre blanc, Montréal, Éditions de l'Hexagone, 1978.

D'arcs de cycle la dérive, poème, gravure de Francine Simonin, Saint-Jacques-le-Mineur, Éditions de la Maison, 1979.

Amantes, Montréal, Les Quinze éditeur, 1980.

Double Impression, Montréal, Éditions de l'Hexagone, 1984.

L'Aviva, Montréal, NBJ, 1985.

Domaine d'écriture, Montréal, NBJ, n° 154, 1985.

Mauve, avec Daphne Marlatt, Montréal, NBJ, 1985.

Character/Jeu de lettres, avec Daphne Marlatt, NBJ, 1986.

Sous la langue/Under Tongue, édition bilingue, traduction de Susanne de Lotbinière-Harwood, Montréal, L'essentielle éditrices/Gynergy Books, 1987.

À tout regard, Montréal, NBJ/BQ, 1989.

Installations, Trois-Rivières, Les Écrits des Forges, 1989.

Langues obscures, Montréal, Éditions de l'Hexagone, 1992.

Vertige de l'avant-scène, Trois-Rivières, Les Écrits des Forges, 1997.

Amantes, suivi de *Le sens apparent* et de *Sous la langue*, Montréal, Éditions de l'Hexagone, 1998.

Musée de l'os et de l'eau, Saint-Hippolyte, Éditions du Noroît/Cadex Éditions, 1999.

Au présent des veines, Trois-Rivières, Les Écrits des Forges, 1999.

Roman

Un livre, Montréal, Éditions du Jour, 1970 ; Les Quinze éditeur, 1980.

Sold-out (étreinte/illustration), Montréal, Éditions du Jour, 1973 ; Les Quinze éditeur, 1980.

French Kiss (étreinte/exploration), Montréal, Éditions du Jour, 1974 ; Les Quinze éditeur, 1980.

Le Sens apparent, Paris, Flammarion, 1980.

L'Amèr ou le Chapitre effrité, Montréal, Les Quinze éditeur, 1977 ; Éditions de l'Hexagone, coll. « Typo », 1988.

Picture Theory, Montréal, Éditions Nouvelle Optique, 1982 ; Éditions de l'Hexagone. coll. « Typo », 1989.

Le Désert mauve, Montréal, Éditions de l'Hexagone, 1987.

Baroque d'aube, Montréal, Éditions de l'Hexagone, 1995.

Théâtre

« L'Écrivain », dans *La nef des Sorcières*, Montréal, Les Quinze éditeur, 1976.

Essai

La lettre aérienne, Montréal, Éditions du Remue-ménage, 1985.

« L'Angle tramé du désir », dans *La Théorie, un dimanche*, Montréal, Éditions du Remue-ménage, 1988.

Elle serait la première phrase de mon prochain roman, édition bilingue, traduction de Susanne de Lotbinière-Harwood, Toronto, The Mercury Press, 1998.

Anthologie

The Story so Far 6/Les Stratégies du réel, Coach House Press, Toronto, 1978.

Anthologie de la poésie des femmes au Québec (en collaboration avec Lisette Girouard), Montréal, Éditions du Remue-ménage, 1991.

Bibliothèque publique
du
canton de Russell
EMBRUN